Zu diesem Buch

«Die Bücherkommentare»: «Mit Gregor von Rezzori ist das pure Märchen, die Stegreif-Parabel wieder zu hohen Ehren gekommen. Arabesken der Phantasie, wie sie hierzulande kaum zu solchen Kapriolen avancieren: hier gereichen sie zum herrlichen Spaß an Wundern und Mären, an Anekdoten und Geschichten. Was für eine sprudelnde Bildhaftigkeit!» – «Hamburger Abendblatt»: «Gregor von Rezzori ist ein Fabulierer, wie es hierzulande keinen anderen gibt. Das Traumland seines Witzes, der auf eine so köstliche Weise gegen alle Verspießerung unseres Daseins zu Felde zieht: Es ist doch mehr eine Tarnlandschaft. Maghrebinien gibt es hier und überall.»

Wo und wann dieser Autor geboren ist – das ist eine Frage, die sich der Leser selbst beantworten kann; eine so intime Kenntnis des Landes Maghrebinien und seiner führenden Familien, über die Gregor von Rezzori auf jeder Seite seines Buches verfügt, gewinnt nur der geborene Maghrebinier. So sagt er selbst: «Gregor, in einem östlichen Kronland der ehemaligen k. u. k. Monarchie geboren, hätte, um seine Herkunft, Nationalität, politische und geistige Orientierung hinlänglich zu erklären, so umständliche geographische, historische und völkerpsychologische Erläuterungen nötig, daß er es vorzieht, Maghrebinien als seine Heimat anzugeben.» – Sieht man ihn persönlich vor sich, mag er sowohl ein alle Künste des Lebens trefflich beherrschender Fünfunddreißiger als auch einer jener elegant-distinguierten Mittvierziger sein, deren haut goût sich mit Erfolg in Szene zu setzen weiß – denn das ist Charme des Erfahrenen, Brillanz und Witz. Über seinen Werdegang bemerkt er selbst, daß er «Studien» trieb und sich «mit wechselndem Erfolg» in vielerlei Berufen versuchte. Als «Berufung» betrachtet er, sagt er, allein die Aufzucht seiner Söhne. Zu zeichnerischer Tätigkeit brachte ihn, wieder nach seiner eigenen Aussage, «die Anziehung der leeren Ränder jeglicher Art von amtlichem Papier, seien es Fragebogen, Aufforderungen zur Steuererklärung oder Zahlungsbefehle». Seine Erzählkunst, die uns neben den berühmt gewordenen tolldreisten «Maghrebinischen Geschichten» (rororo Nr. 259) den ironischen Berlin-Roman «Oedipus siegt bei Stalingrad», die köstlich instruktive «Männerfibel», den stilistisch-glanzvollen, gedanken- und espritreichen Roman «Ein Hermelin in Tschernopol» (rororo Nr. 759/60), für den er 1959 mit dem Fontane-Preis ausgezeichnet wurde, und «Bogdan im Knoblauchwald» schenkte, hat nichts Entsprechendes in der modernen deutschen Literatur. «Ein Hermelin in Tschernopol» wurde ins Kroatische, Dänische, Italienische, Spanische, Französische und Englische übersetzt und erschien auch mit großem Erfolg in den USA.

Rezzoris Prosa funkelt und glitzert, sein Geist schlägt Kapriolen, und die Sprache folgt in Purzelbäumen hinterher. Was bei oberflächlichem Lesen nur als böse Ironie, als Pessimismus oder gar Zynismus erscheinen mag, erweist sich dem ernsthaft Prüfenden bald als eine Variation der Gesellschaftskritik, die um so wirkungsvoller ist, je mehr sie sich von den üblichen Angriffen einer Klasse gegen die andere unterscheidet. Hier werden nirgendwo Ideologien vorgetragen, allenfalls essigscharfe Weisheit und immer saftige Fabeln. Gesellschaftskritik eigenen Stils übt Rezzori auch in seinem vielbändigen «Idiotenführer durch die Deutsche Gesellschaft», dessen erste vier Bände, Hochadel, Adel, Schickeria und Prominenz bereits erschienen sind. Ferner erschien im Rowohlt Verlag sein Tagebuch des Films «Viva Maria»: «Die Toten auf ihre Plätze!»

GREGOR VON REZZORI

Neue maghrebinische Geschichten

1001 JAHR MAGHREBINIEN

EINE FESTSCHRIFT
HERAUSGEGEBEN ZUR FEIER DER
WIEDERAUFERSTEHUNG
DES MAGHREBINISCHEN GEISTES
MIT ACHTUNDSIEBZIG ZEICHNUNGEN
VOM VERFASSER

WAS NÜTZT DER KNOBLAUCH,
WENN DER NERV DIR FEHLT?

ROWOHLT

Titel der im Rowohlt Verlag erschienenen Buchausgabe
«1001 Jahr Maghrebinien»
Umschlagentwurf Werner Rebhuhn
(Zeichnung: Gregor von Rezzori)

Ungekürzte Ausgabe
Veröffentlicht im Rowohlt Taschenbuch Verlag GmbH,
Reinbek bei Hamburg, Januar 1972

Gesamtherstellung Clausen & Bosse, Leck/Schleswig
Printed in Germany
ISBN 3 499 11475 5

EWIGER DANK
DES VATERLANDES MAGHREBINIEN,
VOR ALLEM ABER DES FEDERFÜHRENDEN HERAUSGEBERS
DER VORLIEGENDEN FESTSCHRIFT,
SEI HIER AUSGESPROCHEN
DEM LEIDENSCHAFTLICHEN PATRIOTEN
UND AUFOPFERNDEN FREUND
DR. ELEF SOSSIDI
OHNE DESSEN SELBSTLOSE BEREITWILLIGKEIT
DIE UNERSCHÖPFLICHEN SCHATZKAMMERN
SEINES GEISTES UND WISSENS ZU ERSCHLIESSEN
DIESES BUCH
DER ÖFFENTLICHKEIT NICHT HÄTTE
VORGELEGT WERDEN KÖNNEN

EIN TROCKENER LÖFFEL KRATZT DEN MUND!
ABER: DIE FLIEGEN FINDEN DEN BART
DES SIRUPVERKÄUFERS!

VORWORT DER HERAUSGEBER WORIN DIE REDE IST VON DEM ÜBERAUSSCHÖNEN UND RUHMREICHEN LANDE MAGHREBINIEN UND SEINER WIEDERERLANGTEN HERRLICHKEIT – ENTHALTEND DIE SEHR TIEFSINNIGE GESCHICHTE VON DER FRÜHEN GEISTESREIFE EINES GROSSEN WEISEN MAGHREBINIENS – NÄMLICH DES WUNDERRABBIS VON SADAGURA – RABBI SCHALOM MARDOCHAJ.

DES LÜGNERS HAUS WAR ABGEBRANNT – NIEMAND HAT ES GEGLAUBT.

WIR – NÄMLICH DIE LETZTEN BLÜTEN VOM STAMME DER sehr edlen Bojarengeschlechter der Kantakukuruz und der Pungaschij – haben die Ehre, uns vorzustellen als Herausgeber der vorliegenden Festschrift, welche die Aufmerksamkeit weiter Kreise lenken soll auf die Wiederauferstehung des maghrebinischen Geistes.

Zu diesem Behufe wird es vonnöten sein, dem geneigten Leser in Erinnerung zu rufen, welche Glorie mit dem Niedergang des alten Maghrebinien verlorengegangen war und welche Herrlichkeit uns mit dem neuerlichen Auferblühen des überaus schönen und ruhmreichen Landes wiedergegeben wird.

Im Schnitt von Orient und Okzident liegt Maghrebinien, nämlich dort, wo Morgenland und Abendland dereinst einander brüderlich begegneten. Wenngleich auch diese Brüderlichkeit nach derjenigen Kains und Abels gebildet war, sind die Überlieferungen von Morgenland und Abendland in Maghrebinien verschmolzen zu einer

Weisheit, die dem Menschen Mut gab, sein Dasein offenen Auges mit Gelassenheit zu führen und es sich weise zu verklären mit allen Wonnen der Poesie.

So war Maghrebinien ein Reich, dessen Grenzen westwärts sich verloren in den blauen Wassern hinter Vineta und ostwärts hinter den endlosen Lößbergen an der Großen Mauer von Zipangu; im hohen Norden hinter den skrälingischen Eisfeldern und im Süden hinter den dampfenden Dschungeln um die Quellen des Weißen und des Blauen Nils. Es war die Heimat unserer Phantasie und gemacht von einem bis zum andern Ende aus Geschichten.

Es lebten und leben im Großraum Maghrebiniens reiche Leute, die in ihren Schätzen wühlen, und arme Leute, denen die Not das Mark verzehrt. Beide aber leben sie nur, um von sich zu sagen. Denn es ist dem Menschen nützlich, zu wissen, daß es nach Gottes Ratschluß solche gibt, die haben, weil sie haben, und solche, denen, weil sie nicht haben, auch noch genommen werden wird.

Es lebten und leben im Großraum Maghrebiniens Heilige und Schurken und solche, von denen man nicht weiß, ob sie das eine oder andere sind. Und alle leben sie nur, um sich uns darzustellen, so wie sie sind. Denn es ist dem Menschen nützlich, zu erfahren, daß er sowohl heilig sein kann wie auch ein Schurke, und daß er meistens das eine sowohl wie auch das andere ist.

In den Gärten Maghrebiniens blühen tausend Blumen und abertausend stolze Bilder im Hochsinn seiner Menschen. Doch führt der Schicksalsstrom des Landes, die tiefe Halitza, in sanften Wellen auch Megatonnen Unrat aus den Gossen mit, in denen sich die Trunkenbolde wälzen neben Taschendieben, die einander wegen einem Para an der Gurgel haben. Die schönsten Gärten aber sind mit dem dicksten Sud gewässert.

Unter der Schreckensherrschaft des Abraxas Barrakuda wurde der Ungeist des Perfektionismus über Maghrebinien Herr. Man begann die Wasser der Halitza zu klären. So gewann man die schiere Jauche und verbrannte damit die Blumengärten. Den Reichen nahm man ihr Vermögen und verwaltete es für die Armen, bis alle gleich arm geworden waren. Die Trunkenbolde wurden ernüchtert, die

Taschendiebe ehrlicher Arbeit zugeführt. Das hatte zur Folge, daß diejenigen, die immer schon nüchtern und ehrlich gewesen waren, die Lust an ihren Tugenden verloren. Die Schurken stellte man an die Wand, die Heiligen auf Sockel. Weil aber nicht immer mit Sicherheit zu sagen war, wer nun das eine oder andere sei, kamen viele Schurken auf die Sockel und mancher Heilige an die Wand.

So unerbittlich waren die unseligen Geister, daß sie es schließlich unternahmen, Ost und West zu trennen, als wären das nicht beides nur Sichten einer Welt, unterschieden lediglich dadurch, ob einer frühmorgens oder abends mit der Nase oder mit dem Hintern zur Sonne steht.

Da verstummten die Nachtigallen in Maghrebinien.

Die Maghrebinier aber tragen ihr Reich in sich, ob sie nun diesseits oder jenseits von Grenzen stehen, die es zerschneiden wollen. Mit ihnen ist es wiederauferstanden. Zaghaft erst, dann immer mächtiger, griff das Bekenntnis zum Real-Illusionismus um sich und weckte die Stimmen, die vom wahren Maghrebinien singen.

Uns, nämlich den Herausgebern der vorliegenden Festschrift, ist die Ehre zuteil geworden, diese Stimmen zu sammeln und zu vereinen zum schönen Chor der Menschlichkeit, so wie sie ist: Mit einem Heiligen in jedem Schurken und einem Schurken in jedem Heiligen; mit dem Reichtum der Armen und der Armut der Reichen, der Dummheit der Klugen und der Klugheit der Dummen; mit Liebe und mit Tod, mit Lachen und mit Tränen – wobei das Weinen bisweilen lächerlich, das Lachen aber oft zum Fürchten ist.

Sollte nun der geneigte Leser einer solchen Welt mit Ängstlichkeit begegnen, so verweisen wir ihn auf die Geschichte, welche man in Maghrebinien von einem der bedeutendsten und vorbildlichsten Männer unseres Landes, nämlich von dem sehr weisen und gelehrten Wunderrabbi von Sadagura, Rabbi Schalom Mardochaj, erzählt:

Als kleiner Knabe, aber bereits früh zu großen Geistestaten auserkoren, kam der nachmalige Rabbi [mütterlicherseits ein Nachfahr des eminenten Wunderrabbis von Sandez, Rabbi Jossel Ölgießer] zu spät zum Abendbrot. Schon wollte die Mutter ihn mit Scheltworten empfangen, da sah sie seine bleiche Miene. «Joj!» rief die Gütige. «Was ist, mei Schalomche?!» Der Knabe keuchte: «Mammeleben! Wie ich bin gegangen durch den dunklen Wald vorm Dorf, hat sich herausgestürzt aus dem Gebüsch ein wilder Räuber und hat mich gepackt am Kragen und hat mich geschleppt in seine Höhle und hat genommen etwas ein enormes Messer und hat mir gesetzt die Spitze an die Gurgel –» – «Waj!» rief die Mutter. «Jingl mein! Und was hat dich gerettet?!» – «Das Gebet!» erwiderte der Knabe. «Denn wie ich hab gespürt die Spitze von dem Messer an meiner Gurgel, hab ich gedawenet» – das ist: gebetet. «Und?» rief die Mutter in höchster Angst. «Und», entgegnete der kleine Schalom, «Gott hat getan ein Wunder, und die Geschichte war nicht wahr.»

FORTSETZUNG DES VORWORTS DER HERAUSGEBER – WORIN DIE REDE IST VON GEWISSEN SCHWIERIGKEITEN – WELCHEN DIE HERAUSGEBER DER VORLIEGENDEN FESTSCHRIFT HÄTTEN BEGEGNEN MÜSSEN – ZURÜCKZUFÜHREN AUF EINE HISTORISCHE FEHDE ZWISCHEN DEN SEHR EDLEN BOJARENGESCHLECHTERN DER KANTAKUKURUZ UND DER PUNGASCHIJ SOWIE – WENNGLEICH MIT EINIGEM ABSTAND – AUCH DEM DER SIKTIRBEY.

DU EIN EMIR – ICH EIN EMIR –
WER SOLL DEN ESEL FÜHREN?

OHNE DEN REAL-ILLUSIONISTISCHEN GLAUBEN AN DAS GEISTESwunder, welches die Wahrheit in Unwahrheit und wiederum die Unwahrheit in Wahrheit zu verwandeln imstande ist, hätten die Herausgeber der vorliegenden Festschrift ihre ehrende Aufgabe nicht übernehmen können, stellte sich ihnen doch ein Hindernis entgegen, welches anderswo, also außerhalb von Maghrebinien, schier unüberwindbar gewesen wäre.

Die Rede ist von der historischen Fehde zwischen den sehr edlen Bojarengeschlechtern der Kantakukuruz und der Pungaschij, zu denen – wiewohl mit einigem Abstand – sich auch das der Siktirbey gesellt.*

Diese Häuser, deren Ursprung zurückgeht auf die sagenhaften Schizoauditen – das ist die Schlitzohren –, trennt im Affekte und verbindet zugleich im Blute die maghrebinische Vendetta.

Es ist dies eine gegenseitige Racheübung, derzufolge die jewei-

* Nebbich! [Anmerkung der Herausgeber]

ligen männlichen Glieder der daran beteiligten Geschlechter im gezeitenhaften Zyklus einander in die Frauenhäuser einfallen und deren vollzählige Belegschaft notzüchtigen, wobei – so verlangt es die Tradition – auch die Eunuchen nicht zu übergehen sind. Daß eine solche fortgesetzte, wenn auch unfreiwillige Kopulation nicht ohne Folgen bleiben konnte, liegt auf der Hand.

Genealogisch ist also eine Unterscheidung zwischen einem Kantakukuruz und einem Pungaschij kaum zu treffen, desgleichen auch nicht zwischen ihnen und einem Mitglied des – wiewohl mit einigem Abstand – in die Geschlechterrache einbezogenen Hauses der Siktirbey. Um so entschiedener aber beharren die jeweiligen Namensträger auf dem Vorrang ihrer Sippe.

Man erzählt zum Beispiel, daß Kutza Kantakukuruz den Zambiko Pungaschij schlafend fand im Schatten einer Kirchenmauer, die einzustürzen drohte. Er weckte ihn: «Wach auf und lege dich woandershin, sonst wird diese Mauer dich erschlagen!» Damit wandte er sich ab und wollte gehen. Zambiko Pungaschij aber hielt ihn zurück. «Wie?!» rief er aus. «Du, mein Erbfeind, legst solche Fürsorge für mich an den Tag?» – «Wenn es», so erwiderte der Kantakukuruz, «die Wand eines Schweinestalls gewesen wäre, würde ich dich haben weiterschlafen lassen.»

Unsere – nämlich der Herausgeber der vorliegenden Festschrift – Verwandtschaft mit den sehr edlen Bojarenhäusern der Kantakukuruz und der Pungaschij geht auf unseren gemeinsamen Großvater mütterlicherseits, den Hofmarschall Pungaschij, zurück. Nun war dieser, weiland unser Großpapa, in Wahrheit ein Kantakukuruz. Weil aber sein Stolz es nicht vertrug, daß er als Kantakukuruz infolge der hin- und herflutenden maghrebinischen Vendetta notwendigerweise für einen Pungaschij gehalten werden mußte, war er bei dem Monarchen Nikifor XIII. um gnadenweise Namensänderung eingekommen, um eben als ein Pungaschij für einen Kantakukuruz uz gelten.

Die Entscheidung, welcher der beiden Sippen wir in Wahrheit angehören, fällt uns also außerordentlich schwer. Denn schlägt sich einer von uns auf die Seite der Pungaschij, der andere aber auf die Seite der Kantakukuruz, so bekennt sich damit ein jeder jeweils eigentlich zur gegnerischen Partei. Schlägt er sich aber gleich ins gegnerische Lager, so wird er umgekehrt wieder zum andern Teil gerechnet.

Hierbei ist zu berücksichtigen, daß man in Maghrebinien nicht auf die geradlinige Weise wie im Abendlande denkt. Jedem Gebildeten geläufig ist die Geschichte von zwei Handlungsreisenden, die einander auf dem Bahnhof von Metropolsk begegneten. «Wohin fährst du?» fragte der eine. «Nach Tzigara Samurkasch», erwiderte der andere. Sie stiegen in den Zug. Bald näherten sie sich Tzigara Samurkasch, und der Gefragte machte sich bereit, auszusteigen. «Also», rief der erste wütend aus, «fährst du doch nach Tzigara Samurkasch! Denn wenn ich dich frage: Wohin fährst du? und du sagst: Nach Tzigara Samurkasch!, so weiß ich doch, daß du in Wahrheit gar nicht fahren willst nach Tzigara Samurkasch, sondern nach Tschiklikümli; so wie du würdest sagen, du fährst nach Tschiklikümli, wenn du wolltest in Wahrheit fahren nach Tzigara Samurkasch. Jetzt aber fährst du wirklich nach Tzigara Samurkasch. Also warum lügst du?»

Wer nicht selbst Maghrebinier ist, wird also kaum imstande sein, die Problematik unserer Sippenzugehörigkeit zu ermessen – er sei denn ein mit der Wiedervereinigung befaßtes Mitglied des Deutschen Bundestages. Und in der Tat gewinnt die Frage, ob einer sich in Maghrebinien zu den Kantakukuruz oder zu den Pungaschij bekennt, ihre wahre Bedeutung erst, wenn man sich vor Augen hält, daß die Angehörigen dieser sehr noblen Geschlechter an der Spitze der beiden traditionellen Parteien Maghrebiniens stehen, nämlich der progressiven Restauristen und der konservativen Progressisten. Also daß mit dem Bekenntnis zum jeweiligen Hause die unmittelbare

Wohlfahrt des Bekennenden in Frage steht, je nachdem, welche von den beiden genannten Parteien gerade am Ruder ist.

Der maghrebinische Real-Illusionismus hat auch diese Kalamität auf wunderbare Weise für uns aus der Welt geschafft. Eine Geschichte zerstreute unsere Bedenken. Es mag dem geneigten Leser nützlich sein, sie zu erfahren:

Ein Herr gab seinem Sklaven ein Huhn und sagte zu ihm: «Koche mir davon einen Pilaw! Wenn das Reisgericht wohlgeraten ist, will ich dir die Freiheit schenken.» Der Sklave war ein guter Koch und tat sein Bestes. Der Herr aß von dem Pilaw nur den Reis, gab dem Koch das Huhn zurück und sagte: «Koche mir nun dies Huhn mit Linsen. Wenn es mir schmeckt, so will ich dir die Freiheit geben.» Der Sklave bereitete ein köstliches Gericht. Der Herr aß davon nur die Linsen, gab das Huhn dem Koch zurück und sagte: «Koche mir nun das Huhn mit Kohl. Dann will ich dir die Freiheit schenken.» Der Sklave kochte das Huhn mit Kohl und brachte es dem Herrn. Der Herr aß nur den Kohl und gab das Huhn dem Koch zurück. «Koche», so sprach er, «nun eine Suppe von diesem Huhn. Ist sie gut, so will ich dir die Freiheit schenken.» Da sagte der Sklave: «Lieber Herr! Ist es nicht einfacher, du läßt statt meiner das Huhn laufen?»

ZWEITE FORTSETZUNG DES VORWORTS DER HERAUSGEBER WORIN DIE REDE IST VON EINER ANDERN SCHWIERIGKEIT – WELCHE SICH DEN HERAUSGEBERN DER VORLIEGENDEN FESTSCHRIFT HÄTTE STELLEN KÖNNEN – ENTHALTEND DIE ERGREIFENDE GESCHICHTE VON HASSAN UND MYRIAM – DEN UNGLÜCKLICHEN LIEBENDEN SELBST IN DER JENSEITIGEN WELT.

DER KESSEL SPRACH ZUM KESSEL:
DEIN HINTERN IST SCHWARZ.

Überall anderswo als in Maghrebinien hätte den Herausgebern der vorliegenden Festschrift noch eine andere Schwierigkeit erwachsen können, welche ihr harmonisches Zusammenwirken vereitelt haben würde. Während nämlich die Kantakukuruz sich gläubig zum Christentum bekennen, folgen die Pungaschij als Moslime der Lehre des Propheten Muhammed.

Indes, so viele Gegensätzlichkeiten und Widersprüche auch in Maghrebinien und zwischen seinen herrschenden Familien walten, in religiösen Fragen übt man in unserem Lande, abgesehen von der Lustbarkeit gelegentlicher Pogrome, eine beispielhafte Duldsamkeit.

Sie geht zurück auf ein Ereignis, welches die Herzensbildung der Maghrebinier schon früh bestimmte:

Ein junger Moslem namens Hassan liebte zu Metropolsk, der bedeutenden und schönen Hauptstadt Maghrebiniens, eine kaum entknospte Christin namens Myriam. Der religiöse Eifer ihrer Sippen vereitelte ihre Vereinigung. Aber die beiden waren schön. Also nahm alles Volk an ihrem Kummer teil.

Myriam war blond. Über den Silberankern ihrer Schenkel wiegte sich ihr Leib wie eine Lilie [sie hat sieben Zungen und ist dennoch stumm; sie lehrt die Weisheit gegen alle polyglotte Gelehrsamkeit]. Ihre Arme: Jasminsträuße. Ihr Hals: eine Kerze von weißem Wachs. Lächelte sie, so gingen funkelnd die Plejaden ihrer Zähne auf. Sprach sie, so hüpfte der Purpurpapagei der Zunge im Granatbüchschen des Mundes. Ihre Wange zierte das Moschussiegel eines Leberflecks. Verstohlen war ihr Blick, ein Herzensnährer, und traf er dich voll, so leuchtete er unter den Waagschalen ihrer Brauen wie der Sirius. Ihre Locken aber waren Würgengel der Lust.

Hassan war hoch und dunkel wie die Zypresse, stolz wie eine Fahne. Seine Wimpern starrten wie die Lanzen indischer Schlachtreihen. Seine Nase war fest wie ein Sattelhals, scharf wie ein Schwert, mahnend wie der Prophetenfinger. Den Mondschmelz seiner Wangen umschmeichelte der Bartflaum wie eine Negeramme. Zeltstricke waren seine Locken. Zart konnten seine Finger sein wie Hermelinschwänze, dabei fest wie Ketten. Er war Bakschischeinnehmer des Schalters Numero 4 am Hauptpostamt zu Metropolsk.

Die Liebe dieser beiden hätte können sein wie die der hundertblättrigen Rose zur tausendstimmigen Nachtigall. Wegen dem religiösen Eifer ihrer Sippen aber war sie wie Schmetterling und Flamme – oder wie der Schläger und der Ball: glücklich in der Berührung und gleich hinweggeschleudert. Das Volk von Maghrebinien litt mit ihnen. Sie gingen in die Sage ein als Romeo und Julia von Metropolsk.

Denn es geschah, daß Myriam vor Kummer auf den Tod erkrankte. Da machte, von so viel Leid ergriffen, einer der großen Weisen unseres Landes, der Wunderrabbi von

Sadagura, Rabbi Schalom Mardochaj, sich auf und ging hin zu ihr, um ihr nach Kräften beizustehen. Er traf sie sterbend an. «Bestelle Hassan», so flüsterte die Schöne dem gütigen Gelehrten zu, «daß ich, um wenigstens im Jenseits mit ihm vereint zu sein, dem Christentum entsage und mich bekenne zur alleinseligmachenden Lehre des Propheten.» Damit senkte sie die Neumonde der Lider über die Gebetsnischen der Augen und war entschlafen.

Schwankend unter dem Gewitter der Ergriffenheit begab sich Rabbi Schalom Mardochaj, der große Talmudist, zu Hassan, um ihm die letzten Worte der Geliebten zu bestellen. Unterwegs geriet er in einen Menschenauflauf. Ein junger Bursche hatte sich vom Minarett der ehrwürdigen Moschee Büjük Lukum Dschâmij* gestürzt und lag sterbend auf dem Pflaster. Von einer fürchterlichen Ahnung überfallen, bebend im Gemüt, drängte Rabbi Schalom sich durch die schaulustige Menge. Er sah Hassan, der noch schwach die Lippen regte. Um die letzten Worte des Sterbenden zu hören, neigte Rabbi Schalom sich über ihn. «Bestelle Myriam», so hauchte Hassan, «daß

* Sie liegt gegenüber der ebenso ehrwürdigen Kathedrale Hagia Sophistia, an der Kreuzung der beiden Hauptstraßen von Metropolsk, der Schosséa Pungaschijlor – das ist: die Straße der Beutelschneider – und der Kalea Hotzilor – das ist: die Gasse der Diebe –, links vom weithin über die Grenzen des Landes hinaus bekannten und berühmten Restaurant «Tschina» – das ist: das Abendmahl – des Gastwirts Schorodok, rechts vom Palast der ehemaligen Königsfamilie der Karakriminalowitsch.

ich, um wenigstens im Jenseits mit ihr vereint zu sein, der Lehre des Propheten entsage und im Glauben an das alleinseligmachende Christentum gestorben bin – allerdings als Protestant.» – «Welches Bekenntnis?» rief schmerzbewegt der große Rabbi aus. Aber Hassans Auge war bereits gebrochen. Sein Mund blieb stumm.

Da richtete der gütige und wahre Rabbi Schalom Mardochaj sich auf und sprach zum Volk: «Seht, ihr Toren! Selbst im Jenseits werden sie nicht zueinander kommen wegen dem Starrsinn, mit welchem ihr anhängt an Namen, um zu dienen dem *einen* und alleinigen Gott!»

Das Volk von Maghrebinien aber ging in sich. Die Geschichte von Hassan und Myriam wurde zur Legende, welche die Mütter und Ammen Maghrebiniens schon früh den Kleinen zu erzählen pflegen. Die Kleinen nehmen sich's zu Herzen. Seither übt man in Maghrebinien in allen Glaubensdingen, bis auf die Lustbarkeit gelegentlicher Pogrome, eine weitherzige Toleranz.

DRITTE FORTSETZUNG DES VORWORTS DER HERAUSGEBER WORIN DIE REDE IST VON DEN NASEN DES HEILANDS – DES PROPHETEN – DES KÖNIGS NIKIFOR XIII. AUS DEM GLORREICHEN HERRSCHERHAUS DER KARAKRIMINALOWITSCH SOWIE DER EINES UNBEKANNTEN KURDEN.

DU BIST EIN TOTENWÄSCHER
UND WILLST DAS PARADIES VERBÜRGEN?

ZUR SPRICHWÖRTLICHEN DULDSAMKEIT DER MAGHREBINIER IN allen Glaubensdingen hat auch ein anderer Vorfall beigetragen, der überdies aufscheinen läßt, daß selbst das korrupte Königshaus der Karakriminalowitsch eine Herrschergestalt von Weisheit und Gerechtigkeit hervorgebracht hat, welche zu Recht den Ehrennamen «Vater des Volkes» trägt. Die Rede ist von weiland Seiner Majestät, dem König Nikifor XIII., aus eben jenem erhabenen historischen Geschlecht.

Unter der glorreichen Regierung dieses Monarchen ereignete es sich nämlich, daß der altehrwürdigen Statue des Erlösers, welche, wie jedermann in Maghrebinien weiß, in Metropolsk den Platz vor der Kathedrale Hagia Sophistia ziert, die Nase abgeschlagen wurde. Die ikonoklastische Schändung war um so ungeheuerlicher, als es sich dabei um ein Bildwerk handelt, welches nicht nur auf einfältige Gemüter von wundertätiger Wirkung ist: Es ist das weltberühmte Christusbild von Thorwaldsen.

Bartholomäus Thorwaldsen, von intim vertrauten Freunden sowohl wie auch in der Kunstgeschichte häufig Bertel genannt, ein Schüler Abilgaards, Canovas und Carstens', hatte, wie dem Gebildeten bekannt ist, die Figur im Auftrag des Fürsten Ponjatowski geschaffen und zunächst in seinem Museum in Rom aufgestellt. Die Kunde von der einzigartigen Schönheit dieses Kunstwerks erreichte auch König Nikifor XII. von Maghrebinien. Der Monarch, ein lasterhafter Mann, fühlte sein Ende nahen und war bestrebt, bei allen Konfessionen Rückversicherung für eine gnädige Aufnahme im Jenseits zu suchen. So schenkte er den Moslime von Maghrebinien einen siebenpfündigen Brocken der Kaaba, welche in der altehrwürdigen Moschee Büjük Lukum Dschâmij zur seelischen Erhebung der Gläubigen Unterstellung fand. Die Judenschaft von Maghrebinien indes beglückte der umsichtige Herrscher mit der wahren Bundeslade.

Dieses Heiligtum befand sich nämlich nicht, wie allgemein angenommen wird, in Jerusalem, sondern zu Axum in Äthiopien. Von dort kam es nach Maghrebinien. Es ist dies eine Geschichte, die für sich erzählt werden will.

Zu Urzeiten hatten die Kaiser Äthiopiens nach dem Besitz der Bundeslade getrachtet, auf den sie als Nachkommen des Königs Salomo sowie der schönen Königin von Saba berechtigten Anspruch zu stellen meinten. Sie schickten also drei abessinische Prinzen heimlich nach Jerusalem. Die Prinzen führten eine genaue Kopie der

Bundeslade mit sich. Nächtlings tauschten sie diese gegen das Original der Bundeslade aus und schafften dasselbe auf abenteuerlichen Wegen nach Axum, wo es über anderthalb Jahrtausende blieb.

Um nun dieses Original der Bundeslade zu erlangen, ging König Nikifor XII. von Maghrebinien folgendermaßen vor: Er erbat sich die Bundeslade von Kaiser Menelik für eine angebliche Jubelfeier der maghrebinischen Judenschaft. Sodann verschloß der erhabene Monarch das Heiligtum für ein paar Jahre in der Synagoge von Metropolsk. Auf verschiedentliche Mahnungen des Kaisers Menelik, es zurückzuerstatten, reagierte der glorreiche König vorderhand nicht. Endlich übergab er dem Botschafter von Äthiopien das Geld für den Rücktransport.

Der Diplomat – er hat später durch den gerechten Kaiser Menelik die gebührende Strafe gefunden – verjubelte das Geld mit leichten Mädchen im weltberühmten Restaurant «Tschina» – das ist: das Abendmahl – des Gastwirts Schorodok zu Metropolsk. Vergebens mahnten die Herrscher Äthiopiens die Bundeslade an. König Nikifor XII. konnte seine Hände in Unschuld waschen: hatte er doch alles getan, um die Leihgabe zu ihrem Eigentümer zurückgelangen zu lassen. Die wahre Bundeslade ist so bis heute fest in maghrebinischer Hand geblieben.

Da nun sowohl die Moslime wie auch die Judenschaft von Maghrebinien mit so großen Heiligtümern beschenkt worden waren, durften die Christen nicht zurückstehen. Es war freilich ausgeschlossen, jede der Konfessionen der zerfallenen Christenheit einzeln zu beschenken. König Nikifor XII. behandelte sie also gewissermaßen *brutto*, nämlich als Ghiaurs schlichthin, so in weitvorausschauender Weise den Gedanken der UNA SANCTA vorwegnehmend. Nach umständlichen Verhandlungen mit dem damaligen Patriarchen von Metropolsk, den im Geruch der Heiligkeit stehenden Archimandriten Miron, sowie, von katholischer Seite her, mit Weihbischof Stigmatarsky [ein Großonkel mütterlicherseits der Therese von Konnersreuth] und dem Oberhaupt der maghrebinischen Protestanten, Dompropst Theesenieter, einigte man sich einstimmig auf Thorwaldsens Heilandsbild.

Der König trat mit dem Fürsten Ponjatowski in Verhandlungen, erfuhr aber eine höhnische Ablehnung seines Ansinnens. Von Vertrauensleuten in Rom ließ nun der Herrscher einen Abguß der Statue anfertigen und die Gußformen nach Metropolsk schaffen, wo sie mit echtem Gips vom Fuße des Ölbergs ausgegossen und der Ausguß feierlich vor der Kathedrale Hagia Sophistia zur Aufstellung gebracht wurde.*

Hatte indes Nikifor XII. damit gerechnet, daß seine frommen Gaben die Waagschalen der Gerechtigkeit im Gleichgewicht zu seinen Lastern halten würden, so sah er sich darin enttäuscht. Der Teufel holte ihn unverzüglich. Nikifor XIII. folgte seinem Vater auf dem Thron.

Segensreich war die Herrschaft dieses großen Mannes. Um so bestürzender wirkte es, daß gerade unter seinem milden Regiment der Heilandsstatue die Nase abgeschlagen wurde. Die Empörung war groß und allgemein. Sofort fiel der Verdacht der Täterschaft auf die Moslime, deren Glaube ja bekanntlich die Darstellung Gottes im Bilde verbietet. Wie ein Mann begaben sich die drei christlichen Kirchenfürsten, nämlich Archimandrit Miron, Weihbischof Stigmatarsky und Dompropst Theesenieter, zum König und forderten Wiedergutmachung.

Der König beschwichtigte die Gottesmänner nach Kräften und bot, um Glaubensfehden zu vermeiden, großherzigerweise an, die Ausbesserungskosten der Heilandsnase aus seiner allerhöchsten Privatschatulle zu begleichen. Aber die Kirchenfürsten beharrten darauf, daß eine Nase aus Gips nicht auszubessern sei. «Wohlan»,

* Mit Abgüssen aus ordinärem Gips machte noch der Enkel des Königs, Nikifor XIV., beträchtliche Geschäfte, indem er unter Berufung auf das ewige Zerwürfnis der christlichen Glaubensbekenntnisse untereinander dem Hause Karakriminalowitsch das Monopol für den Devotionalienhandel sicherte.

sprach darauf König Nikifor XIII., «so werde ich einen zweiten Sack Gips vom Ölberg kommen und die Statue neu gießen lassen.»

Auch dieses noble Angebot des Herrschers lehnten die empörten Kirchenfürsten ab. Weihbischof Stigmatarsky brachte vor, daß die Erwirkung der Erlaubnis zur Neueinweihung beim Vatikan auf Schwierigkeiten stoßen würde. Dompropst Theesenieter donnerte, daß eine Beleidigung des Heilands nicht mit schnödem Mammon abzugelten sei. Patriarch Miron endlich äußerte Zweifel an der gegenwärtigen Qualität des Gipses vom Fuß des Ölberges. «Dann, meine Herren», sprach der erhabene Monarch, «erbitte ich Vorschläge Ihrerseits.»

Die geweihten Männer zogen sich zurück und brachten nach siebenstündiger Beratung das Ansinnen vor: Eine Statue des Propheten anfertigen und ihr zur Sühne öffentlich die Nase abschlagen zu lassen.

Da wuchs König Nikifor XIII., einer der großen Herrscher aus dem Geschlecht der Karakriminalowitsch [ohnehin ein König, welcher zu Recht den Namen «Vater des Volkes» trägt], über sich selbst hinaus. «Niemals!» so rief er. «Niemals, werde ich es zulassen, daß meinen moslemitischen Landeskindern diese Schmach angetan werde! Der Prophet, der gegen Idole und Götterbilder gekämpft hat sein erhabenes Leben lang, soll nun selbst als Götze aufgestellt und auch noch öffentlich geschändet werden?! Niemals!» so rief der große König aus. «Ihr wollt einen Glaubenskrieg. Mit Frauen und Kindern würden meine Moslime in den Tod gehen, um solchen Frevel zu sühnen. Bevor ich mein Volk in dieses Unheil stürze», so schloß der Herrscher hoheitsvoll, «nehmt meine Nase und laßt sie mir zur Sühne für die Schändung der Heilandsnase abschlagen!»

Taub gegen jeden weiteren Einspruch der drei Kirchenfürsten befahl der König unverzüglich, am nächsten Tage auf dem Platze vor der Kathedrale Hagia Sophistia zu Metropolsk die Abschneidung seiner allerhöchsten königlichen Nase in aller Öffentlichkeit vorzunehmen.

Alles Volk von Metropolsk und vieles noch vom flachen Lande

strömte herbei, um diesem wahrhaft königlichen Sühneakt beizuwohnen. Der Monarch erklärte den Fall in allen Einzelheiten. Sodann sprach er: «So ist es geschehen, und ich trage die Verantwortung für Frieden und Glaubensduldsamkeit in meinem Lande. Auch stehe ich in jedem Falle zu meinem königlichen Wort. Hier also ist mein Krummschwert. Welcher von euch drei christlichen Kirchenfürsten übernimmt es nun, mir zur Sühne für die abgeschlagene Nase eures Heilands die meine abzuschneiden?»

Weihbischof Stigmatarsky weigerte sich nicht geradezu, räumte aber ein, daß er allenfalls bereit sein würde, in der Tradition des Kaiphas Seiner Majestät ein Ohr abzutrennen, allerdings ohne die Gewähr, es wieder anwachsen lassen zu können. Der Patriarch Miron entschuldigte sich mit der Begründung, es sei Fasttag, und er dürfe daher kein Fleisch schneiden. So wurde die Aufgabe Dompropst Theesenieter übertragen, der als Zweibändermann der schlagenden Verbindungen «Transherzynia» zu Göttingen und «Hyperboräa» zu Tübingen eine gewisse Übung im Geschäft des Nasenabschlagens hatte. Allerdings verlangte er für den König die commentmäßigen Bandagen. Sie wurden angelegt.

Probeweise schlug der Gottesstreiter mit dem ungewohnten Krummschwert erst eine nervige Terz und eine schlanke Quart in die Luft und setzte dann mit Antiefe zum nasenabtrennenden Hiebe an. Da aber zerriß ein Schrei die spannungsvolle Stille: «Haltet ein!»

Es war ein Kurde, der sich aus der Menge drängte: «Haltet ein!» so rief er. «Hier ist die Nase eures Idols. Ich war's, der sie ihm abgeschlagen hat. So nehmt sie hin und meine eigene dazu. Denn niemals soll ein so väterlicher König um die seine kommen!» Damit warf er sich, auf die commentmäßigen Bandagen verzichtend, dem Krummschwert in der Faust des wehrhaften Kirchenfürsten entgegen.

Der König gebot Einhalt. «Warum», so fragte er den Kurden, «hast du dem Heiland die Nase abgeschlagen?»

«O Herr», erwiderte der Kurde, «ich kam mit meinem kleinen Sohn an dem Idol vorbei, und er meinte, es wäre aus eitel Zuckerguß und wollte ein Stück davon haben.»

Da fielen Moslime und Christen, gerührt von solcher Einfalt und zugleich ergriffen von der Großmut ihres Herrschers, einander versöhnlich in die Arme. Einhellig warf man sich auf die Juden und verprügelte sie.

In Maghrebinien aber geht seither das Sprichwort: Wenn einer durch die Nase spricht, und der andere hat keine, so ist beides gleich peinlich.

VIERTE FORTSETZUNG DES VORWORTS DER HERAUSGEBER

WORIN DIE REDE IST VON DER SCHWIERIGKEIT DER EINEN UND DER MÜHELOSIGKEIT DER ANDERN INS HIMMELREICH ZU KOMMEN.

ALLES IST BEI DEN BEDUINEN SEIFE.

WIE IN SEINER DULDSAMKEIT IN GLAUBENSDINGEN, SO UNterscheidet unser Volk auch in der leidigen Rassenfrage sich sehr vorteilhaft von anderen Völkern. Dem Unterrichteten bekannt ist die Geschichte, welche man sich in den Vereinigten Staaten von Amerika erzählt:

Vor St. Petrus am Himmelstor erschien ein Neger, der sich John Brown aus Alabama nannte, und bat um Einlaß. Der Himmelspförtner blätterte in seinen Listen und fand einen schwarzen John Brown aus Alabama darin nicht vorgemerkt. «Was», so fragte er den Neger, «hast du Rühmenswertes vorzubringen, um in den Himmel einzugehen?» – «Ich», so erwiderte der Neger, «habe als guter Christ gelebt und meine Nächsten als Brüder angesehen. Ich liebte ein weißes Mädchen und war mit ihr verheiratet.» – «Wie lange?» fragte der Himmelspförtner. «Ich glaube», so erwiderte der Neger, «es waren nicht ganz zehn Minuten.»

Anders eben als in den Vereinigten Staaten sieht sich in Maghrebinien die Möglichkeit, ins Himmelreich zu kommen, an. Als der große Schriftgelehrte und Seelentröster, Rabbi Schalom Mardochaj, ein

Kind noch war, erklärte man auch ihm in milden Worten, wie er durch die unverdrossene Verrichtung frommer Werke es zum Einlaß in den Himmel bringen könnte. «Nebbich», sprach naseweis das schwarzgelockte Bübchen, «werde ich mir gestatten eine andere Methode.» – «Nämlich?» fragte man zurück. «Nämlich werd ich einfach kommen an die Himmelstür wie bei der Mamme zu Haus und, so soll ich leben, werd ich, genauso dorten oben wie hier unten bei uns zu Haus, aufmachen die Tür und wieder zu und wieder aufmachen die Tür und wieder zu. No und so weiter. Wird also irgendwer sich beginnen aufzuregen und schrein, genau wie hier bei der Mamme zu Hause: Um Gottes willen, Schalom! Oder bleibst du draußen, oder kommst du herein! No also werd ich gehn um Gottes willen herein, und fertig ist die Laube.» Als man jedoch dem kleinen Brausekopf vor Augen halten wollte, daß er sich nicht auf derlei Spielereien verlassen dürfe, da er vermutlich als ein gesetzter alter Mann und nicht als Kind ans Himmelstor gelangen würde, erwiderte Jung-Mardochaj: «Dafür, daß ich rechtzeitig dorthin komm, werden schon die Pogromisten sorgen.»

Zum größten Segen für Maghrebinien beschied der Herr dem Rabbi Schalom ein langes Leben, in welchem die hohen Gaben seines Geistes und seines großen Herzens beispielgebend für die Nation sich voll entfalten sollten. Hochbetagt erlangte er schließlich auch das Zweite Gesicht. Es wird davon in den Annalen der Chassidim berichtet:

Noch kurz vor seinem Tode, der ein friedvolles Entschlummern war, hatte der wundertätige Mann die letzte seiner großen Visionen: Während er in seinem Rabbinat in Sadagura im Kreise seiner Angehörigen und Bocher – das ist: Talmudschüler – an der Abendtafel saß, erhob er sich plötzlich zitternd, den Blick groß in die Ferne gerichtet und stand wie lauschend. Seine Angehörigen und Jünger verharrten wie gebannt, wissend, daß der greise Kabbalist das Unschaubare schaute. Endlich wagte einer flüsternd anzufragen: «Was siehst du, Rebbe?» Stoßweise kam es von den Lippen Rabbi Schalom Mardochajs: «Ich seh – weit weg in Tarnow –, daß mein ehrwürdiger Kollege, der Rabbi Leibel Hersch – ist umgefallen als ein Toter – und seine Seel ist aufgefahren gen Himmel –»

Alsbald fiel der Rabbi Schalom selbst in seinen Stuhl zurück und röchelte erschüttert und erschöpft. Die Angehörigen und Bocher aber rüsteten zur Klage um den verstorbenen Rabbi Leibel Hersch aus Tarnow.

Vierzehn Tage lang trauerte die Gemeinde von Sadagura, als die Nachricht kam, Rabbi Leibel erfreue sich der besten Gesundheit, lasse herzlich grüßen und frage an, warum in Sadagura getrauert würde?

Zunächst wagte man gar nicht, Rabbi Schalom davon zu unterrichten. Als aber die frohe und doch peinliche Kunde sich nicht länger unterdrücken ließ, brachte man sie endlich auch dem greisen Wunderrabbi schonend bei. Da wuchs Rabbi Schalom noch einmal zu seiner vollen Größe auf und donnerte: «No wenn schon! Soll er leben, der Leibel Hersch! Aber gesehen zu haben von Sadagura bis Tarnow mit meinen alten Augen in einem Guck –: ist das vielleicht nix?!»

Es ist anzunehmen, daß der unvergleichliche Kabbalist und Talmudkenner, Rabbi Schalom Mardochaj, nicht zuletzt für diese letzte seiner ungezählten Wundertaten in der Gemeinschaft der Seligen zu Gottes Rechten weilt.

In Maghrebinien jedenfalls herrscht dank dem Vorbild so großer Männer eben jener Geist, der in der Daumenpeiler-Bewegung der maghrebinischen Real-Illusionisten, auch Aproximisten, seine existenzielle Erfüllung gefunden hat.

Lediglich den Hunden ist es in Maghrebinien eingeräumt, noch Dogmatismus und Glaubensstrenge auszudrücken. Je nachdem, ob sie im Schatten der tausend Kirchen mit den Knoblauchtürmen liegen,* oder im Schatten der zehntausend schöngekuppelten Moscheen mit den nadelspitzen Minaretten, so halten sie, die Hunde, im Schlafe die Vorderpfoten über Kreuz, beziehungs-

* Denn in Wahrheit sind die Kirchentürme in Maghrebinien nicht Zwiebeltürme, wie die Kunsthistoriker behaupten, sondern Knoblauchtürme. Der Knoblauch nämlich ist für Maghrebinien, was für Indien der Lotos ist.

weise parallel. Nähert sich allerdings der große, besonders in unserem Lande hochangesehene Archäologe und Historiker, Sir Mortimer Dozbull-Puzzlefield, so setzen alle Hunde sich auf und drücken ihre Hintern fest in den Staub. Denn Seine Lordschaft ist weithin als Sodomit bekannt.*

Dank dem Real-Illusionismus hat auch die maghrebinische Vendetta, welche jahrhundertelang zwischen den sehr edlen Bojarengeschlechtern der Kantakukuruz und der Pungaschij tobte, keine religiösen Hintergründe mehr. Die Geschlechterrache wird weiter ausgeübt einzig aus pietätvoller Achtung für Sitten und Gebräuche der hohen Ahnen. Denn selbst heute, da der ungestüme Volkswille die zwar glorreiche, aber korrupte Monarchie der Karakriminalowitsch entthront und endlich auch das reaktionäre System der Perfektionisten unter Abraxas Barrakuda überwunden hat und sich geschlossen zum realistischen Illusionismus bekennt, kommt unter den edlen Häusern unseres großen und sehr schönen Landes an Ruhm und Würden keines an diejenigen der Kantakukuruz und der Pungaschij heran – es sei denn, mit einigem Abstand – noch das der Siktirbey**.

* Es wird von diesem großen Gelehrten ausführlicher die Rede sein.

** Es ist, wie man weiß, dieses Bojarengeschlecht ins Hin und Her der maghrebinischen Vendetta mit eingewoben, rechnet sich also zu den Pungaschij und den Kantakukuruz. Als echte Angehörige dieser letztgenannten Häuser haben wir dazu nur anzumerken: Man fragte das Maultier nach seinem Vater. «Das Pferd ist mein Onkel», sagte es.

FÜNFTE FORTSETZUNG UND ANGEKÜNDIGTES ENDE DES VORWORTS DER HERAUSGEBER WORIN DIE REDE IST VON DER ERZEIGENTÜMLICHEN EIGENSCHAFT DER MAGHREBINIER – NÄMLICH DER GELASSENHEIT DER SEELE.

WER DEN ESEL TREIBT –
BEKOMMT DESSEN WINDE ZU RIECHEN.

ES WIRD NACH DEM VORANGESAGTEN DEM GENEIGTEN LESER leicht verständlich sein, daß familiäre Rücksichten uns (die letzten Blüten am Stamme der sehr edlen Bojarengeschlechter der Kantakukuruz und der Pungaschij) nicht hindern konnten, als Minnesänger Maghrebiniens aufzutreten. Ehrend empfinden wir die Aufgabe, das Wesen dieses sehr schönen und ruhmreichen Landes zu vermitteln, nämlich an erster Stelle seinen Geist.

Es ist aber der Geist von Maghrebinien nirgend anderswo besser aufzuspüren, als in solchen Begebenheiten, in welchen sich die erzeigentümliche Tugend der Maghrebinier offenbart, und das ist: die Gelassenheit der Seele.

Was darunter zu verstehen sei, wird sogleich deutlich, wenn man sich vor Augen stellt, daß es in Maghrebinien bekanntlich keineswegs befremdet, sondern im Gegenteil allgemeines Verständnis und sogar Beifall findet, wenn ein jugendlicher Elternmörder vor Gericht als mildernden Umstand geltend macht, er sei Vollwaise. In einem beispielhaften Grenzfall drückt sich darin die prinzipielle Gleichberechtigung des logischen Aspektes mit der sentimentalen Auffassung aus.

Mit anderen Worten: In Maghrebinien ist der Geist kein Widersacher der Seele, sondern im Gegenteil: ihr weiser Lenker und erfindungsreicher Hüter, wie ein Liebender bemüht, zur willigeren Anpassung an eine hartkantige Wirklichkeit ihr immer wieder neue Möglichkeiten der Auffassung anzubieten, bis sie endlich in einer davon sich wohlbefindet wie in einem gut gemachten Bett.

Zum Beispiel dafür erzählt man in Maghrebinien von einem Fischhändler auf dem Markte von Metropolsk: Ihm war in einem Augenblick der Unaufmerksamkeit der schönste seiner Fische gestohlen worden. Weil aber der Dieb einen sehr kurzen Kaftan trug, hing der Schwanz des Fisches unter dessen Saum hervor. Der Fischhändler, ohne sich von seinem Platz zu regen, rief ihm zu: «Mein Herr! Entweder Sie tragen einen längeren Kaftan, oder Sie stehlen einen kürzeren Fisch!»

Wollte man die beispielhafte Unterordnung der affektbetonten Seele dieses wahren Maghrebiniens unter seine geistige Disziplin einer Analyse unterziehen, wie ein Goldschmied ein Geschmeide auf den Feingehalt des Goldes prüft, so käme man zur Einsicht, es liege seiner Weisheit zugrunde ein besonders inniges Verhältnis zur Wirklichkeit. In Maghrebinien herrscht nicht die Wirklichkeit, welche Menschen sich willkürlich zu ihrer Blendung schaffen, sondern die Wirklichkeit, die *ist*.

Es wird berichtet von einem Einäugigen, der unter Frauen saß und zu seinem Mißbehagen hören mußte, wie sie das Loblied eines anderen Mannes sangen. «Was ist denn Besonderes an ihm», so fragte er, «daß ihr ihn so unwiderstehlich findet?» Die Antwort – von seiner eigenen Gattin, wie sich's von selbst versteht, gegeben – lautete: «Er sieht uns mit zwei Augen an, du aber nur mit einem.»

Es geht dem Menschen, der nicht einen Keim des maghrebinischen Wesens in sich trägt, mit der Wirklichkeit des Lebens wie einem anderen Manne, dem man auf dem Markt von Metropolsk begegnet: Äußerst wohlgekleidet und ganz offenbar mit ausreichenden Mitteln versehen, wandelt er vor den Ständen der Fleischer auf und ab und betastet und beklopft mit seinen Händen die saftigsten Stücke, ohne jemals eins davon zu kaufen. Fragt man nach der Gewohnheit dieses Sonderlings, so erhält man zur Antwort: «Es ist dies nichts weiter als ein Geizhals: Hat er genügend lang das Fleisch beklopft, so geht er nach Hause, wäscht sich die Hände und kocht sich aus dem Wasser eine Suppe.»

In abertausend Geschichten wird dem Volk Maghrebiniens nahegebracht die Wirklichkeit, so wie sie ist; nämlich in abertausend Geschehnissen und Begebenheiten, von denen ein jedes abertausendfältig aufgefaßt werden kann, so daß am Ende kein fester Punkt mehr ist, außer dem Kern des Allzu-Menschlichen. Dieser erzieherischen Überlieferung dienen die abertausend Geschichtenerzähler, die an allen öffentlichen Plätzen der abertausend Städte, Dörfer und Weiler unseres großen und sehr ruhmreichen Landes, vor allem aber in der sehr bedeutenden und schönen Hauptstadt Metropolsk an allen Straßenecken sitzen und Geschichten erzählen: zur Erquickung ihrer Herzen und zur Erbauung derer, die da Ohren haben, um zu hören.

Um aber die Ohren der Maghrebinier frühzeitig zu öffnen für dieses unschätzbare Gut der Überlieferung, senken die Mütter und Ammen den Keim der Weisheit bereits in die Kleinsten ein, indem sie ihnen schon in äußerst zartem Alter diejenigen Geschichten erzählen, welche die Schlüssel zu den späteren sind.

Es seien hier einige davon wiedergegeben:

Als Adam und Eva im Paradiese waren, fragte sie ihn: «Adam, liebst du mich?» Adam erwiderte voll Zärtlichkeit: «Du Mondlichtübergossene! Wen anders sollte ich lieben als dich?!»

Als Johannes der Täufer einmal an sich verzweifelte, bat er den HERRN, ihm zu sagen, ob er auch immer gerecht und ohne Fehl gewesen sei. «Warum willst du das wissen?» fragte der HERR. «Um», so erwiderte Johannes, «zu wissen, ob ich der Macht des Teufels eine Schranke setzen kann.» Da erwiderte der HERR: «Frage also den Teufel.» Johannes suchte den Teufel auf und sprach: «Sage mir die Wahrheit: hast du jemals Macht über mich gehabt?» Der Teufel zögerte erst eine kleine Weile. «Ja», sagte er dann, «einmal: da hattest du dir den Wanst mit Heuschrecken und dem Honig wilder Bienen so vollgeschlagen, daß du schläfrig wurdest und dein Abendgebet verdöstest.» – «Fortan will ich mich nicht mehr sättigen», sagte Johannes. «Und ich», entgegnete der Teufel, «werde mich fortan hüten, irgendwem die Wahrheit zu sagen.»

❦

Schamin, der Wesir, lebte einzig für die Größe seines Königs und scheute kein Opfer, sie zu mehren. Man verleumdete ihn, und der König schwor bei seinem Königswort, ihm den Kopf abschlagen zu lassen. Unverzüglich begab Schamin sich zum König, bewies seine Unschuld und entlarvte die Verleumder. «Nun aber», so sprach er zum König, «befiehl deinem Schwertträger, mich zu enthaupten.» – «Wie?!» rief der König aus. «Willst du, daß ich als Mörder in die Geschichte eingehe?» – «Ein königlicher Mörder», so erwiderte Schamin, «das will nichts sagen. Aber ein König, der sein Wort nicht hält, das ist schlimm.» – «Mein Hochsinn soll dem deinen nicht nachstehen», sagte der König und gab dem Schwertträger das Zeichen, den Hieb zu führen.

❦

Zu den wichtigsten Geschichten, welche man den Kleinen in Maghrebinien schon in zartem Alter zu erzählen pflegt, gehören die Märchen Von der Gerechtigkeit des Kadis und Von der Schwierigkeit, ein Dorftrottel zu sein.

Das erste Märchen: Von der Gerechtigkeit des Kadis

Ein Jäger hatte eine schöne Gazelle erlegt und brachte sie zum Bäcker, um sie in dessen Backofen zu braten. Der Duft des Bratens zog in die Nüstern des Kadis, der vorüberkam. «Was brätst du in deinem Ofen?» fragte der Kadi. Der Bäcker sagte es. «Gib mir den Braten», sagte der Kadi. «Und wenn der Jäger ihn verlangt?» fragte der Bäcker ängstlich. «So sagst du ihm», entgegnete der Kadi, «die Gazelle sei wiederauferstanden.» «Wenn aber», so bangte der Bäcker, «der Jäger mir nicht glaubt?» – «Dann», so erwiderte der Kadi, «bringt er dich ohnehin zu mir.»

Bald darauf kam der Jäger und verlangte seinen Braten. «Dein Braten», sagte der Bäcker, «ist nicht mehr. Denn kaum habe ich die Gazelle in den Ofen schieben wollen, ist sie wiederauferstanden.» Wütend packte ihn der Jäger beim Kragen. «Das sollst du mir vor dem Kadi beweisen!» rief er und schleppte ihn auf die Straße.

Auf der Straße stand des Bäckers Nachbarsfrau, schwanger bis unter die Nase. «Hat dich endlich einer gefaßt, du Mehldieb!» rief sie schadenfroh. Empört trat ihr der Bäcker vor den Bauch. Die Frau fiel nieder und mißgebar. Von ihren Schreien aus dem Haus gescheucht, stürzte ihr Mann auf die Straße. «Das sollst du mir büßen, du Rohling!» rief er. «Komm zum Kadi!» – «Wir gehen ohnehin zum Kadi», sagte der Jäger.

Wie sie gemeinsam den Bäcker weiterschleiften, trafen sie auf einen Juden. «Was», so sagte dieser kopfschüttelnd, «müssen sich die Gojim immer streiten?!» – «Du halte dein Maul», schrie ihn der Bäcker an, schlug zu und schlug dem armen Juden ein Auge aus. «Waj», schrie der Jude, «Gewalt! Wo ist der Kadi?!» – «Wir gehen ohnehin zum Kadi», sagte der Jäger, und der Jude schloß sich ihnen jammernd an.

Da packte den Bäcker doch die Angst, er riß sich los und rannte zur Moschee. Als aber die Leute ihn rennen sahen, verfolgten sie ihn. Geängstigt rannte der Bäcker die Treppe zum Minarett hinauf, und da man ihn alsbald erreichte, sprang er in die Tiefe und einem Betenden in den Nacken. Er brach ihm das Genick. Der Bruder dieses Mannes aber lief auf den Bäcker zu und packte ihn. «Mörder!» rief er. «Du kommst mit mir zum Kadi.» – «Wir gehen ohnehin zum Kadi», sagte der Jäger.

Der Bäcker schlug nun wie wild um sich, damit er sich befreie. Im Getümmel kam er an einen Mann, der auf einem Esel ritt. In seiner Verzweiflung packte der Bäcker den Schwanz des Esels und riß ihn aus. «Tierquäler!» schrie der Mann, dem der Esel gehörte, und die Menge, die sich angesammelt hatte, brüllte: «Schleppt ihn vor den Kadi!» – «Wir gehen ohnehin zum Kadi!» sagte der Jäger.

Mit vereinten Kräften schleppten sie den Bäcker vor den Kadi. «Schön einer nach dem anderen», beschwichtigte der hohe Richter die aufgeregten Kläger. Und, indem er sich an den Jäger wandte, fragte er: «Was hast du vorzubringen?» Der Jäger sagte, was er zu sagen hatte. «Du glaubst nicht, daß die Gazelle auferstehen konnte?» fragte der Kadi. «Also glaubst du nicht an Gottes Allmacht. Als einen Gottesleugner verurteile ich dich zu einem Jahr Gefängnis.»

Damit wandte der Kadi sich an den Nachbarn des Bäckers, dessen Frau zur Fehlgeburt getreten worden war: «Was hast du vorzubringen?» Des Bäckers Nachbar sagte, was er zu sagen hatte. «Wohlan», so sprach der Kadi. «Dir gebührt Wiedergutmachung. Du wirst also deine Frau so lange zu diesem Bäcker geben, bis sie wieder schwanger ist.»

Damit wandte der Kadi sich an den Juden: «Was hast du vorzubringen?» Der Jude sagte, was er zu sagen hatte. «Auch dir», so sagte der Kadi, «gebührt Wiedergutmachung. Es heißt bei euch Juden: Auge um Auge, Zahn um Zahn. Schlage also dem Bäcker ein Auge aus. Da aber», so fügte der Richter hinzu, «nach dem Gesetz das Auge eines Maghrebiniers zwei Augen eines Juden gilt, soll der Bäcker dir erst noch dein zweites Auge ausschlagen.»

Damit wandte der Kadi sich an den Bruder des Getöteten: «Und was hast du vorzubringen?» Der Bruder des Getöteten sagte, was er zu sagen hatte. «Zu Recht», sagte der Kadi, «forderst du Sühne für deinen toten Bruder. Steige also auf das Minarett und springe du deinerseits dem Bäcker in den Nacken.»

Dies alles hörte der Mann, dessen Esel der Schwanz ausgerissen worden war. Er schwang sich auf den Esel und galoppierte davon. «Dies Tier ist ohne Schwanz geboren!» rief er. «Glaubt es mir! Es lebe die Gerechtigkeit des Kadis!»

Das zweite Märchen: Von der Schwierigkeit ein Dorftrottel zu sein

Es war einmal – spucke mir auf den Mund, wenn es nicht wahr ist! – ein Junge namens Massr'add, der war bei weitem der Dümmste in seinem Dorf. Aber Gott ist groß! Ohnehin wissen die Mütter Maghrebiniens: Das erste Kind ist für Ihn, den Allbesitzenden; das zweite gehört dem bösen Blick; das dritte der Seuche; und erst das vierte ist für uns.

Massr'adds Eltern waren arm, und Armut ist ein Hemd von Feuer. Damit Massr'add seine Dummheit nicht verrate – wer möchte hinken vor den Krüppeln! –, hatten sie ihm eingeschärft, den Mund zu halten. Massr'add lümmelte also stumm im Dorf herum, und weil ihm dort der Tag zu lang wurde – ein Jahr, sagst du? Ein Blitz, sage ich! –, trapste er aufs Feld hinaus. Dort harkte ein Bauer seinen Acker. Massr'add sah ihm dabei zu. Nach einer Weile richtete der Bauer sich auf, wischte sich den Schweiß vom Schädel und faßte den Jungen scharf ins Auge. «Dein Gesicht», so sagte er, «ist gemacht, um den Sauerteig aus dem Haus zu treiben. Was stehst du hier in der Gegend herum, schaust zu, wie ich schufte, du Stück Bocksdreck, und kaust an deiner dicken Zunge! Kannst du nicht ein aufmunterndes Wort sagen?» Massr'add schüttelte stumm den Kopf. Der Bauer nahm ihn beim Ohr, kippte es über Daumen und Zeigefinger und sprach: «Wenn du einen siehst, der sich bemüht, du stummer Schlucker deines süßen Speichels, so rufe ihm zu: Guten Mut zum Werk, und genieße die Früchte! Verstehst du mich, du Dummheitsknolle?!» Damit drehte er ihn am Ohr herum und gab ihm einen Tritt in den Steiß. Dem Bauern gilt ein grober Knuff als Scherz, heißt es im Sprichwort.

Massr'add trollte sich. Das Kamel ist ausgegangen, um Hörner zu suchen und verlor seine Ohren, dachte er bei sich; ich werde tun, wie mir's der gute Mann gesagt hat. Damit gelangte er an den Waldrand und sah dort Einen, der hatte die Hose heruntergelassen und sich hingekauert, um sein Geschäft zu verrichten. Ein niedriger Esel ist leicht zu reiten, dachte Massr'add bei sich, ging frohgemut auf ihn zu und rief: «Guten Mut zum Werk, und genieße die Früchte!» Der Mann zog seine Hose hoch, gürtete sie, bückte sich, raffte auf, was er verrichtet hatte und warf es Massr'add an den Kopf. «Hier! Genieße du sie», rief er dazu aus. «Der Schleier ist kostbarer als das Gesicht!»

Über dem Kamel ist immer noch ein Elefant, dachte Massr'add bei sich und fragte kläglich: «Wenn ich aber sehe, wie sich einer müht – was soll ich sagen?» – «Nichts sollst du sagen», antwortete der Mann, «schlichtweg nichts.» Damit wischte er seine Hand an Massr'adds Hemde ab und ließ ihn stehen.

Die Hand, die nicht abzuschneiden ist, küsse! dachte Massr'add bei sich; ich werde tun, wie mir's der gute Mann gesagt hat. Er streifte eine Weile übers Land und traf beim Fluß auf einen Jäger, der nach Bekassinen stöberte. «Nichts!» rief Massr'add ihm beflissen zu. «Nichts!» Und als eine Bekassine hochwurde und der Jäger die Flinte an die Backe riß, schrie Massr'add wieder: «Nichts!» Der Jäger fehlte die Bekassine. Bedächtig wandte er sich zu Massr'add um, knirschte dabei sehr hörbar mit den Zähnen, nahm seinen Ladestock aus der Flinte und zog Massr'add kräftig eins damit über. «Da, du Flegel!» sagte er. «Und wenn du dich noch einmal mit deinen guten Wünschen einstellst, jage ich dir eine Ladung Schrot in den Hintern.»

Der Gast mag den nachkommenden Gast nicht – der Hausherr verwünscht sie beide, dachte Massr'add bei sich und fragte: «Was denn hätte ich dir wünschen sollen?» – «Zehn am Tag und hundert in der Woche, du blöder Hund!» erwiderte der Jäger.

Es ist der Knochen, der dem Hund das Maul zuhält, dachte Massr'add bei sich und schlurrte zur Straße, um heim ins Dorf zu gehen; ich werde tun, wie mir's der Mann geraten hat. Unterwegs begegnete er einer Sippe, die trugen ihren Großvater zu Grabe. Die Weiber heulten, und die Männer ließen die Köpfe hängen. «Zehn am Tag und hundert in der Woche!» rief Massr'add ihnen zu.

Die Leute blieben stehen, stellten den Sarg ab, bückten sich nach Steinen und warfen sie nach Massr'add, daß ihm der Schädel dröhnte.

Seither heißt es in Maghrebinien: Ein jedes Ding bricht wegen seiner Feinheit, der Mensch wegen seiner Grobheit.

ENDE DES VORWORTS DER HERAUSGEBER – WELCHES ENTHÄLT DIE ANLEITUNG – AUF WELCHE FROMME WEISE DER GENEIGTE LESER HINWEGZUSEHEN HÄTTE ÜBER EINE ALLFÄLLIGE MANGELHAFTIGKEIT DER VORGELEGTEN ARBEIT – UM DESTO SICHERER ZU GELANGEN INS GELOBTE LAND DER MAGHREBINIER.

NIMM EINEN GROSSEN ANLAUF –
UND BLEIB STEHEN!

DIE HERAUSGEBER DER VORLIEGENDEN FESTSCHRIFT HOFFEN, das Wesen Maghrebiniens nun so weit eingekreist zu haben, daß der geneigte Leser in den folgenden Beiträgen dies überaus schöne und ruhmreiche Land erkennen und aufgeschlossenen Gemüts empfangen kann als die Botschaft einer alterprobten Möglichkeit, der Welt gelassen zu begegnen und sich das Dasein zu verklären mit den Wonnen der Poesie.

Sollte uns das dennoch nur mangelhaft gelungen sein – denn Maghrebinien ist ohne Ende! –, so gemahnen wir an die Geschichte von Bogdan und dem Kürbis, die man als glücklicher Maghrebinier schon in sehr zartem Alter zu hören kriegt:

Bogdan war ausgeschickt von seiner Frau, um einen Kürbis zum Abendbrot zu kaufen. Er erstand ihn auf dem Markt und brachte ihn heim. Die Frau besah den Kürbis und fand ihn schlecht. Da holte Bogdan seinen Stecken, versohlte ihr den Hintern und sprach dazu: «Willst du, Weib!, behaupten, daß ich ein schlechter Käufer sei? Glaubst du nicht, ich wäre ausgezogen, den schönsten Kürbis zu erstehen, der je auf einem Markte ausgelegen ist? Oder willst du meinen Freund, den Händler Josselsohn verdächtigen, daß er Schund unter die Leute bringe? Glaubst du nicht an seine ehrliche Absicht, nur das Allerbeste feilzubieten? Oder meinst du Schlampe vielleicht, der Bauer, der diesen Kürbis liebevoll aus dem Kompost gezogen hat, habe, als er den Samen dazu ins Mistbeet senkte, nicht gebetet, daß es ein schöner Kürbis werde? Wen also beschuldigst du in Wahrheit? Niemand andern als den Schöpfer selbst, der diesen miesen Kürbis wachsen lassen und ihn dir zugedacht hat, du Gotteslästerin!»

Die Frau, sie ging in sich und weinte bitterlich, bat Bogdan um Verzeihung und fügte sich in ihren miesen Kürbis, den Namen Gottes auf den Lippen.

In diesem Sinne legen wir unsere Festschrift in des geneigten Lesers Hände.

FERIEN VOM ÜBER-ICH – ZUM GELEIT VERFASST VON SEINER EXZELLENZ – DEM HERRN KULTUSMINISTER SOWIE MINISTER FÜR TOURISMUS – VOLKSAUFKLÄRUNG UND HYGIENE – GENOSSE MITMENSCH MANDOLIN POPARTIAN – MITGLIED DES EXEKUTIVKOMITEES DES REAL-ILLUSIONISTISCHEN VOLKS-IMPERIUMS MAGHREBINIEN – TRÄGER DES EHRENGALGENSTRICKS DER KARAKRIMINALOWITSCH – DES GROSSAMULETTS DES PARTISANENORDENS «AUGE UM AUGE» – INHABER DER JANUS-PLAKETTE FÜR OPPORTUNISMUS – ETC. ETC. – ORDENTLICHER PROFESSOR AN DER NASSR-ED-DIN-HODSCHA-UNIVERSITÄT FÜR VÖLKERFREUNDSCHAFT UND OKZIDENTALISTIK ZU METROPOLSK – SOWIE AUCH EHRENPRÄSIDENT DER WELTVEREINIGUNG FÜR MORALISCHE ABRÜSTUNG EBENDORTSELBST.

DER BÜFFEL IST SCHWARZ –
ABER SEINE MILCH IST WEISS.

Der Sturm, der Maghrebinien freigefegt hat vom Schandregime des blutigen Moralisten Abraxas Barrakuda, sprengte auch die Tore zur Außenwelt. Maghrebinien ist wieder, was es war. Ja, größer noch und ruhmreicher als je zuvor ist das sehr große und ruhmreiche Land geworden dank dem Real-Illusionismus der Daumenpeilerbewegung der Aproximisten. Donnernd stimmte das Volk in unseren Schlachtruf ein «Laßt Fünfe grade sein!» und warf sich opferwillig für die einzige Sache, für die ein Maghrebinier zu sterben bereit ist, in die Maschinengewehrgarben der Schergen des Myrmidonowitsch und des Sykophandakis.

Das feinmechanisch scharfe Zwangssystem eines gnadenlosen Perfektionismus in Staat und Gesellschaft zerbrach. Aus einer seelenlosen Maschine verwandelte sich das maghrebinische Gemeinwesen wieder in einen Organismus mit allen Zeichen eines gesunden Stoffwechsels, zugleich aber in ein Kunstwerk von der fragilen Schönheit und tiefsinnigen Modernität des Mobile: Woher der Wind auch wehen mag, es kreisen die Figuren in ihren Bahnen mit atmender Gelassenheit.

Waren die Grenzen Maghrebiniens bislang symbolisch noch zu umspannen von den aneinandergeknüpften Haaren aus dem seidigen Barte des Propheten, dem ruppigen Biber Rasputins und jedem einzelnen der Lockenhaare aus den Pajes des großen Wunderrabbis von Sadagura, Rabbi Schalom Mardochaj, sowie auch aus jedem einzelnen der Märchenhaare der Jungfrau Anna Csillag [an welche die älteren von uns Maghrebiniern sich noch leibhaftig erinnern mögen], so sind sie heute um die daran angeknüpften Haare aus dem Barte Karl Marx' erweitert zur beziehungsvollen Fünftheit, der Zahl der Menschlichkeit.

Schon kurz nach der triumphalen Übernahme des Regimes durch den Real-Illusionismus konnte der überragende Folklorist und Musikwissenschaftler James Fitzgerald Tartanoglu im Kernkapitel seines Werkes «Katschjula und Dudelsack» Maghrebinien bezeichnen als «die Heimat des schöpferischen Ungefähr». Der Völkerpsychologe Filaret Meandropulos spricht in seinem aufsehenerregenden Aufsatz «Tarzan als Erzieher» von Maghrebinien als dem «Mutterlande einer zwischen Yoghi, Kommissar und Roboter auf survival-Technik trainierten Humanitas». Soviel nur, um anzudeuten, welches Echo wir im Ausland finden.

Die vorliegende Festschrift, herausgegeben und verfaßt von Maghrebiniens besten Köpfen und Federn, verfolgt die Absicht, den geneigten Leser einzuladen zur Feier der Wiederauferstehung des maghrebinischen Geists. Pedanten, Puritaner, Technokraten und ähnliches Geschmeiß – ich biete ihnen als Vorspeise die Faust! – haben nichts unversucht gelassen, um dieses Ithaka der weisen knoblauchgesättigten Seelen [Edel sei der Mensch, vitaminreich und gut!] aufs Schlimmste zu verleumden. Sie sind wie die Gewölbe der Badestuben, in denen jeder Flatus widerhallt. Die Zungen in ihren Mündern schlappen wie Fußlappen in jauchigen Pfützen. Über ihren Gräbern mögen nicht Schakale heulen, sondern Transistoren. Denn sind wir auch erhaben über ihr Gegeifere: Wo viele hineinspucken, wird ein Fluß. Das vorliegende Pamphlet jedoch, es wird verscheuchen ihre Lügen, wie eine Fackel verscheucht die Fledermäuse aus der Höhle. Des blinden Vogels Nest baut Gott! Aber: Dem Hahn, der zur Unzeit kräht, wird man den Hals abschneiden. Ein guter Hahn indes, er kräht bereits im Ei.

Verwirrt vielleicht durch das Geschwätz dieser Verantwortungslosen [Was ist eine Fliege? – und doch dreht sich des Menschen Magen um!], wird der geneigte Leser sich fragen, warum wir ihm so dringlich nahelegen, sein schönes Vaterland auch nur für eine Stunde zu verlassen, um Maghrebinien aufzusuchen. Es geschieht dies mit mehrfacher Berechtigung. Man erzählt sich in Maghrebinien die folgende Geschichte:

Zwei Wasserträger begegneten einander auf der Straße. «Es ist sehr heiß», so sagte der eine zum anderen, «gib mir, bitte, einen Schluck von deinem Wasser.» – «Wozu?» erwiderte der also Angesprochene. «Da du doch selber Wasser hast?» – «Ich bin aber», so entgegnete der erste, «überdrüssig geworden meines Wassers. Selbst», so fügte er hinzu, «Adam im Paradiese war überdrüssig geworden seiner Seligkeit und tauschte sie ein gegen das, was er für eine bessere Seligkeit hielt, eben weil es anders war, als was er hatte.»

Es ist nun durchaus nicht abwegig, die Seligkeit in Maghrebinien zu suchen. Spricht doch Hypokritos von Kalitschanka, den wir zu unseren Kirchenvätern zählen, in seinem «Kommentar zur Genesis» davon, wie Gott *der Allmächtige, Allweise, bei der Erschaffung der Erde Maghrebinien so schön entstehen ließ, daß der Erzengel Gabriel voller Bestürzung ausrief:*

«HERR! Was DU da bildest, ist ja noch einmal das Paradies!» Und zweimal sollte es nach des ERHABENEN Ratschluß das Paradies nicht geben auf dieser Welt. «In der Tat», sprach GOTT, «ich war dabei, mich zu versehen.» Aber der Schöpfer scherzte nur, denn ER ist unfehlbar. Um mit Maghrebinien nicht ein zweites Paradies zu schaffen auf dieser Welt, hatte ER in seiner unausstaunbar tiefen Weisheit die Maghrebinier hineingesetzt.

Was aber sind die Maghrebinier? Sie sind: der unausstaunbar tiefen Gottesweisheit demütigste Kinder. Man knüpft in Maghrebinien keinen Teppich, ohne nicht den einen oder anderen kleinen Fehler einzuknoten: Denn wäre es nicht vermessen, es gleichtun zu wollen dem HERRN, der einzig das Vollendete zu schaffen imstande ist?

Aus demselben Grunde baut man in Maghrebinien auch kein Haus mit vollkommen rechtwinkeligen Wänden: Denn die gottgewollte Unvollkommenheit des Menschen erträgt keine fehlerfreie Geometrie – es sei denn im Spiele der Gedanken, wo wir uns dem Allgeist am nächsten wähnen dürfen.

«Im Fehlerlosen hausen die Dämonen wie in der Wüste», so spricht Rabbi Schalom Mardochaj von Sadagura, den zu den großen Weisen unseres Landes zählen zu dürfen wir die Ehre haben. Ihm und den anderen der gelehrten und weisen Männer Maghrebiniens – allen voran dem Hodscha Nassr-ed-Din Effendi – folgt das Volk.

Wird aus den Rosen von Kirtschalij das weltberühmte maghrebinische Duftwasser gebraut, so versäumt man niemals, ein Tröpfchen Negerschweiß mit beizusetzen: Denn das allzu Reine wäre betörend; es zöge mit ihm die Hybris durch die Nasenlöcher ein. Das Fade des Negerschweißes jedoch, es dämpft die göttlich süße Schärfe. Die Dämonen sind darin eingeschmolzen zum Hautgout.

Also mag es den Fremden bei uns zu Lande zunächst bestürzen, daß die Mädchen Maghrebiniens, welche schön sind über alle Vorstellung, fett wie der seimigste Dattelsirup, süßduftend wie Jasmin, erfrischend wie Schneehalva mit Bittermandelkernen, dabei gleich erschlaffend wie persischer Tscharss [das ist: eine elegante Latwerge, hergestellt aus einem Teil Haschisch, zwei Teilen Ziegenbutter, gut durchgewalkt und über mildem Feuer braungeröstet, durchsetzt mit Pistazienmehl, Ingwer sowie Kardamom, gut verknetet und überstreut mit dem Pulver einer mittelgroßen spanischen Fliege] – es mag, so sage ich, einen allfälligen Besucher Maghrebiniens zunächst bestürzen, daß diese Schönen, welche auch in vielerlei Künsten wie Zimbeln, Flötenblasen und der Großen Nabelschleuder ausgebildet sind, dabei verhältnismäßig billig, in einem Punkte doch versagen: nämlich in der Tugend der Keuschheit. Nun frage ich den geneigten Leser, ob nicht aus eben dieser kleinen Unvollkommenheit eine menschlichere Tugend wird, wertvoller vielleicht, als die ästhetische der Perfektion: nämlich die der freigebigen Nächstenliebe?

Der realistische Illusionismus arbeitet aufs Fruchtbarste mit einer ständigen Umwertung der Werte im obigen Sinn. Als Mitglied des Exekutiv-Komitees des real-illusionistischen Volks-Imperiums Maghrebinien darf ich mich schmeichelhafterweise zählen zu den Vorkämpfern einer politischen Doktrin, welche – als aktueller Ausdruck der maghrebinischen Lebensgrundhaltung und Philosophie – meinem Volk die ideale, durch allen Zeitenwandel unanfechtbare Staatsform bescheren konnte. Nichts ist uns Maghrebiniern wesensfremder als der moralische Rigorismus, dem sich das Abendland verschrieben hat und der nun übergreifen möchte auf die Morgenländer. Eine Lebensweisheit, welche die Väter Maghrebiniens vorlebend ihren Söhnen schon in zartem Alter übermitteln, heißt: Tue nicht alles, was der Arzt verordnet,

erst recht nicht alles, was der Pope sagt. Der Weltverbesserer, er macht sich zur Zitrone in einer Stadt der Übelkeit.

Die Daumenpeilerbewegung der Aproximisten, welche die Völkerschaften Maghrebiniens aufstehen ließ in der Bedrängnis durch den Perfektionismus wie ein Mann und ihre Mannigfaltigkeit der Rassen, Sprachen, Religionen, Sitten, zusammenschweißte zu einem Volk, bewahrte Maghrebinien vor dem Verlust der Mitte. Dem Abendlande dagegen geht es wie dem Manne, der zwei Frauen hatte, eine alte und eine junge: Er war in mittleren Jahren und begann zu ergrauen; die Junge zog ihm, um ihn jung erscheinen zu lassen, die weißen Haare aus; die Alte, um ihn sich anzugleichen, die schwarzen. Am Ende war er kahl, und beide Weiber liefen ihm davon.

Durchdrungen von der Überzeugung, daß ein Aufenthalt in Maghrebinien – selbst und vor allem ein geistiger – ein Heilbad sein würde für den angegrauten und bereits kahlgerupften Abendländer, preise ich mich stolz und glücklich, diese Festschrift in des geneigten Lesers Hand zu legen. Was Sie in Maghrebinien erwartet, sind Ferien vom Über-Ich.

Nach der Lehre unseres geistigen Genossen, des Real-Illusionisten Sigmund Freud, wird des Menschen Ich [ein geiler, hungriger und fauler innerer Schweinehund] gebändigt vom Stachelhalsband seines ethisch einwandfreien Über-Ichs, an welchem Gott mit zarter Hand es an der Leine führt. Die Verbindung dieser Leine zu Gott ist abgeschnitten. Die inneren Schweinehunde streunen. Ihre scharfe Halsung peinigt sie dabei. Sie schnürt, indes: sie lenkt nicht mehr. Es suchen nun die Hunde den Herrn, der sie lenken möchte. Vergebens. Übrig bleibt das Schweinische.*

Der große Rabbi von Sadagura, Rabbi Schalom Mardochaj, spricht: «Es ist heute nicht der Mensch imstande, Gott zu finden; also muß Gott den Menschen wiederfinden.»

Wohlan! Ein Sprichwort in Maghrebinien sagt: Wenn du ein Anliegen an den Hund hast, rede ihn an: «O Herr!» Die Folgerung: Gott nähere sich unseren streunenden inneren Schweinehunden mit einer menschlichen Anrede.

** Maghrebinische Genealogen sind dabei, seine Abkunft mütterlicherseits vom großen Wunderrabbi von Sandez, Rabbi Jossel Ölgießer, nachzuweisen.*

In Maghrebinien geben Sie für die Dauer Ihres Aufenthaltes das schnürende Stachelhalsband Ihres Über-Ichs sozusagen bei der Kurverwaltung ab. Der innere Schweinehund hat Auslauf. Er darf hier mit Erlaubnis seines Lenkers streunen. Das Schwein des Zwitterwesens, es darf sich wälzen nach Herzenslust. Der Hund des Zwitterwesens, er darf geil und hungrig schnüffeln. Denn bei uns wacht der Lenker selbst. Der innere Schweinehund des Menschen, er pariert bald wieder aufs humane Wort. Es ist damit, um es in den Worten unseres geistigen Genossen, Real-Illusionisten Hegel, auszudrücken, aus These und Antithese: «Gott–Schweinehund» gewonnen die Synthese des Menschen. Das Stachelhalsband des Über-Ichs wird dabei ausgespart. An Stelle des schnürenden Gewissens tritt die innere Stimme, die göttlich inspiriert ist.

Es heißt von Maghrebinien, daß es sei ein großes und sehr ruhmreiches Land. Es ist vor allem ein Land des Menschen.

Man berichtet von einer Reise, die einer der großen Weisen Maghrebiniens, der Hodscha Nassr-ed-Din Effendi, zum Herzen unseres Landes

unternommen hatte. Er geriet dort auf einen Friedhof und las, um sich zu zerstreuen, die Inschriften auf den Grabsteinen ab. Er las zum Beispiel: «Hier ruht Mechmed – er lebte drei Monate und siebzehn Tage.» Oder auch: «Hier ruht Fatima – sie lebte auf den Tag genau ein Jahr.» Ein anderer hatte sieben Monate gelebt, wieder ein anderer nur neun Tage. Da ging der weise Hodscha zum Friedhofswärter und sagte zu ihm: «Welches Unglück hat diese Gegend betroffen, daß schon die Jüngsten so bald sterben müssen?» Der Friedhofswärter schüttelte den Kopf. «Nein, Herr», so sagte er. «Es sind dies alles Leute, die ihre Zeit gelebt haben wie du und ich. Nur zählen wir hier nicht die schlechthin gelebten Jahre, sondern nur die glücklichen Tage, die wir auf Erden verbringen durften.»

Ergriffen von dieser großen Weisheit rief der Hodscha Nassr-ed-Din Effendi aus: «Hier möchte ich begraben sein! Setzt auf meinen Grabstein die Worte:

Hier ruht
der Hodscha Nassr-ed-Din
Er verstarb am Tage seiner Geburt

Anmerkung der Herausgeber:

Was des Genossen Real-Illusionisten Sigmund Freud und seiner Jüngerschaft Bemühungen, des Menschen Seele in ihren Schichtungen bis in die Tiefe auszudeuten, betrifft, so erzählt man sich in Maghrebinien die folgende Geschichte: Ein Bettler kam an die Tür eines Reichen und bat um eine milde Gabe. Der Reiche rief seinem Haushofmeister zu: «Frano, rufe den Silberdiener Mirko, damit er dem Pilawaufträger Spiro ausrichte, es möge der Kesselputzer Toto dem Hausknecht Taki bestellen, daß er dem Bettler hier sage: GOTT wird dir helfen. Und hilft ER dir nicht, so hilf dir selbst.» Der Bettler aber warf die Arme zum Himmel hoch und rief: «O Herr, befiehl dem Gabriel, daß er den Michael beauftrage, dem Daniel zu sagen, er möge Ariel veranlassen, den Uriel anzuweisen, daß er die Seele dieses geizigen Hundes der Hölle übergebe.»

Zum Verhältnis von Ich und Über-Ich, endlich, erzählt man sich in Maghrebinien die folgende Geschichte: Ein außerordentlich häßlicher Mensch fand auf der Straße den Scherben eines Spiegels, blickte hinein und sagte angewidert: «Sie würden dich nicht fortgeworfen haben, wenn sie nicht in dir diese Abscheulichkeit gesehen hätten.»

Übrigens danken wir, die Herausgeber, Seiner Exzellenz, dem Herrn Kultusminister für sein Geleitwort. Wer einen Wesir zum Freund hat, vermag selbst auf dem Trockenen zu segeln.

MAGHREBINIEN
LAND DER ÜBERLIEFERUNG

GESCHICHTLICH - ETHNOGRAPHISCHER ÜBERBLICK IN ZWEI KAPITELN - VERFASST VON SIR MORTIMER DOZBULL-PUZZLEFIELD - R.A.S. - ORDENTLICHER PROFESSOR FÜR FRÜHGESCHICHTE UND SKORDOPHAGOLOGIE AN DER TECHNISCHEN HOCHSCHULE ZU METROPOLSK - AUTOR DES BERÜHMTEN WERKES «GÖTTER - GRÄBER UND SCHLAWINER» SOWIE DER AUFSEHENERREGENDEN VERÖFFENTLICHUNG «VON PANTEKAPEJON ZUM PASTERMÁ - DIE VORGESCHICHTLICHEN PÖKELANLAGEN VON KNOBLAUCHFLEISCH ZU TRIPALA» U.V.A.M.

NICHTS FÜLLT DES MENSCHEN AUGE ALS DIE ERDE.

Zur Person des Autors:

Der überragende Gelehrte ist anglo-maghrebinischer Herkunft. Sein Vater, Sir Cecil, einer der ältesten landgesessenen Familien North Huntingtons entstammend, stand, als Diplomat, im britischen Geheimdienst und wurde als der «Lawrence von Maghrebinien» bekannt. Seiner Vermählung mit Roxande, der Tochter des bedeutenden Zoologen Professor Loschak-Trenner, entsprang Sir Mortimer. Die für den zünftigen Archäologen so unerläßliche detektivische Ader, den feinen Spürsinn und das zwingende Kombinationsvermögen, verdankt Sir Mortimer ganz zweifellos dem Vater; seine naturwissenschaftlichen Neigungen, indes, die gründliche Kennerschaft der maghrebinischen Fauna, dürfte von der Spindelseite seiner Ahnenschaft herzuleiten sein.

Nach Besuch der traditionellen Bildungsanstalten Eton und Cambridge sowie des Lyzeums Aron Pumnul – das ist: Faust – zu Metropolsk, das dem Gelehrten seine unvergleichliche philosophische Beschlagenheit eingebracht hat, trat Sir Mortimer ins Garderegiment «The Queen's First Hampstead Archers» ein und diente bei der Kolonialarmee in Afrika. Ein Vorfall, der von mißgünstigen Vorgesetzten willkürlich aufgebauscht wurde, ließ ihn jedoch bald den Dienst quittieren.* Sir Mortimer wandte sich der Wissenschaft zu. Natürlich angezogen von den Sitten und Gebräuchen der Reitervölker aus der maghrebinischen Frühgeschichte, fand der Gelehrte in unserem Lande ein breites wissenschaftliches Betätigungsfeld und eine Wahlheimat, die seine Verdienste zu würdigen weiß. Sir Mortimer seinerseits bringt Maghrebinien eine so uneingeschränkte Bewunderung entgegen, daß er zum feurigsten Ideologen des großen und sehr ruhmreichen Landes geworden ist, gewissermaßen der Houston Stewart Chamberlain von Maghrebinien.

* Der bewußte Vorfall, welcher dazu Anlaß gab, ist bezeichnend für die hypokritische Prüderie der Viktorianischen Epoche: Als junger Leutnant im dunklen Erdteil fand Sir Mortimer sich vor seinen Regimentskommandeur befohlen, der ihm den Vorwurf machte, ein Liebesverhältnis mit einer Straußenhenne zu unterhalten. Trotz des ritterlichen Angebots des jungen Heißsporns: «Wenn Sie es für richtig halten, Sir, heirate ich den dummen Vogel auf der Stelle!» zog die Geschichte ihre Kreise, Leutnant Mortimer aber den schottisch buntkarierten Minirock der Königin aus.

I. AUS DER VORGESCHICHTE – DER MAGHREBINISCHE URMENSCH – AUCH MEANDERTALER – SEINE UMWELT – SITTEN UND GEBRÄUCHE. VERSEHEN MIT EINIGEN BEACHTENSWERTEN FUSSNOTEN VON DER HAND DES GELEHRTEN VERFASSERS.

WAS DIE JUNGFRAU NICHT WEISS – DAS ZIERT SIE.

MIT EINEM UNWIDERSTEHLICHEN HANG ZUM KRITZELN TRITT der maghrebinische Urmensch [*Protoanthropus polymechanus maghr.*, *vulgo auch Meandertaler*] ins magische Licht der Zivilisation. Eine Leidenschaftlichkeit, fast stärker noch als diejenige, welche den heutigen Maghrebinier die Hinterfronten von Ministerien, Kirchen und Kasernen sowie die Wände von Warteräumen, Telefonzellen und Bedürfnisanstalten mit phantasievollen *Sgraffiti* überziehen läßt, drängt ihn, den prähistorischen Vorfahren, zur Auszierung seiner Kult- und Wohnhöhlen mit feinen Ritzzeichnungen, teils farbig nachgezogen, teils mit überstaubten Farben zart getönt. Vorwiegende Themen sind Jagdszenen, bei denen die Falle eine bevorzugte Rolle spielt. Angewendet werden Mimikry- und Tarnverkleidungen zur Überlistung des Wildes, aber auch zur magisch beschwörerischen Identifizierung mit ihm, wobei als hochinteressante Eigenart zu vermerken ist, daß schon die prähistorischen Maghrebinier beim sogenannten *Cornutations-Zeremoniell* sich die Hörner gegenseitig aufsetzten.*

Überaus bemerkenswert an den Höhlenzeichnungen des *Protoanthropus polymechanus maghr.* ist auch das schon deutlich erkennbare bewegte Mienenspiel der menschlichen Figuren, welches nicht nur auf eine charakteristische Lebendigkeit und ungewöhnlich große Ausdrucksfülle dieses hochbegabten Frühmenschen schließen läßt, sondern auch auf den kultischen Gebrauch von Masken hinweist, deren Mimik sich keineswegs auf die stereotype Ausdruckssymbolik animistischer Urgottheiten beschränkt, vielmehr bereits die Differenziertheit seelischer Vorgänge zum Vorschein bringt, so daß mit größter Wahrscheinlichkeit angenommen werden kann, die eigentliche Geburtsstätte der Komödie sei im urzeitlichen Maghrebinien zu suchen.**

Der hohen Entwicklungsstufe des Urmaghrebiniers entspricht seine künstlerische Ausdruckskraft. Wir finden deren schönste Zeug-

* Es erinnert dies auf so augenfällige Weise an die unter den hervorragenden Geschlechtern Maghrebiniens pietätvoll bewahrte Tradition der sogenannten Maghrebinischen Vendetta, daß man mit an Sicherheit grenzender Wahrscheinlichkeit vermuten darf, dieses heiliggehaltene Brauchtum gehe auf eben jenen urzeitlichen Kult zurück. *«Vielleicht»* ist kein Gott, aber ein halber. Siehe auch die Abschnitte über *Sisyphos* und *Tantalos* in Milanowitsch-Faszwarys hervorragendem Beitrag: «Der klassische Mythos im Spiegel der maghrebinischen Seele.»

** Den von Dr. Dr. Heyerli in der *«Revue des grottes et troux»* erhobenen Einwand, eine solche Konstruktion sei eher poetisch als wissenschaftlich, weise ich mit der Erwiderung zurück: Der Flügel ist dem Vogel keine Last. Der moderne Frühzeitforscher wird sich nicht dem historischen Wahrheitsgehalt gewisser Ursprungslegenden verschließen. Milanowitsch-Faszwary berichtet von einer in Nordwestmaghrebinien heute noch umgehenden Geschichte vom Ursprung der Schauspielkunst. Danach heißt es:

Als Kain den Abel erschlagen hatte *[also in allerjüngsten Menschheitstagen – Anm. d. Verf.]* kam Schrecken über die Menschheit, es traute sich keiner, Hand an den andern zu legen. Aber die Sippen Kains und Abels lebten weiterhin in Fehde miteinander. Weil sie sich nun nicht getrauten, übereinander herzufallen, schnitten sie sich Fratzen und äfften einander nach.

Es ist, so scheint mir, aus dieser durchaus einleuchtenden Ursprungsdeutung ein doppelter Schluß zu ziehen, nämlich erstens: daß die Komödie in der Gestalt von Parodie und Persiflage lang vor der Tragödie aufgetreten ist. *[So hoch man auch die Zivilisationsstufe des Protoanthropus polymechanus maghr. veranschlagen darf, so ist*

nisse in den Höhlen von Arkadasch Bodrum, wo namentlich nach Gruppenführungen immer unerwartet neue, höchst pikante Kunstwerke zutage treten. An Fauna erkennen wir darauf neben den bekannten Vorzeittieren wie Mammut, Wisent, Riesenhirsch und Höhlenbär und dem fürchterlichen Handscharzahntiger auch eine ganz entzückend anmutige Rasse von Wildpferden mit reizend pfirsichrunder Croupe *[Gynohippos Dozbullii maghr.]*, nicht zu verwechseln mit den sogenannten *Gegenkentauren*, welche, umgekehrt wie die bekannten Kentaurengestalten, aus einem menschlichen Hinterteil mit tierhaftem Vorderteil [Pferd, Rind, Ziege, niemals aber Schaf – siehe nächsten Abschnitt über Frühgeschichte] gebildet sind, und die mein geschätzter Kollege Jean-Charles Desabri als *Grillii*, nämlich als Ausgelassenheiten der vorzeitmaghrebinischen graphischen Geschwätzigkeit identifiziert, während ich eher dazu neige, sie als Piktogramme der nachweislich uralten Redewendung für die Übertreibungslust der Weiber anzusehen: «Ihre Katze ist ein Kamel, ihre

doch nicht zu behaupten, er hätte es schon bis zur philosophischen Antithetik der Tragödie, nämlich dem tragischen Aufeinandertreffen zweier sittlicher Prinzipien, gebracht. Näher liegt die Annahme, daß sich aus der komödienhaften Darstellung des Aufeinandertreffens zweier Urtriebe, etwa Hunger und Geschlechtstrieb, allmählich die tragische Form entwickelt hat, vielleicht weil bei einer solchen frühen Aufführung einem der Darsteller zufällig ein Auge ausgeschlagen wurde, was vermutlich unter den Zuschauern Furcht und Mitleid erweckte.]

Die zweite zu ziehende Folgerung ist: Daß der Komödie eine durchaus nicht geringere sittliche Wirkung zuzusprechen sei als der Tragödie. Denn es kann nicht in Frage gestellt werden, daß die nachäffende Mimik eine Sublimierungsmöglichkeit des Aggressionstriebs bietet, mit welcher bereits eine hohe Stufe der Zivilisation erreicht wird, vielleicht die höchste, die in dieser Hinsicht bestenfalls zu erreichen ist.

In Maghrebinien berichtet man von drei Schandmäulern, die im Kaffeehaus sitzen und lästern über jeden, der da kommt oder geht, bis auch der letzte das Kaffeehaus verlassen hat. Erhebt sich schließlich einer von den dreien, um für sein Teil nach Hause zu gehen, so fallen die beiden Zurückgebliebenen mit üblen Reden über ihn her; geht dann endlich auch der zweite, so sieht sich der einzige Zurückgebliebene allein: es ist niemand mehr da, mit dem oder gegen den er lästern könnte, also streckt er dem Abziehenden hinter dem Rücken die Zunge heraus.

Es wird hier in der für Maghrebinien so charakteristisch prallplastischen Darstellungsweise ein Akt des Abreagierens deutlich, der den Forscher aufhorchen lassen sollte. Die Sexualforschung kennt den Begriff der ethischen Selbstbefriedigung, durch

Flöhe sind Männer.» Den Kenner wird auch fesseln ein ganz außerordentlich eleganter saurierhafter Vorläufer des *Kalikansaros*, des maghrebinischen Tatzelwurms.

Reichhaltige Fundstätten von vorgeschichtlichem Werkzeug allerlei Art, vor allem in der Süd-Teskovina, vermitteln uns ein anschauliches Bild der Handfertigkeit und frühen Industrialität des *Protoanthropus polymechanus maghr.*, beides wiederum Eigenschaften, die ihn deutlich von seinen schwerfälligeren westlichen Zeitgenossen unterscheiden.

Die Depots von Tschiklikümli [erste bekannte Lagerstätten des sogenannten *Paläotineffs*] haben große Mengen von Faustkeilen, Beilklingen, Lanzen- und Pfeilspitzen bewahrt, die offenbar zu Tauschzwecken hergestellt wurden und wegen der massenhaften Produktion

welche Konflikte mit der Umwelt vermieden werden, die schlimmer erscheinen als der sterile Akt. Mit einer ähnlichen Sublimierung haben wir es hier zu tun. *[Die höhnische Behauptung Dr. Dr. Heyerlis, ich fasse die Mimik als eine Art von Aggressions-Onanie auf, ist polemisch überspitzt und einer wissenschaftlichen Auseinandersetzung nicht würdig. Der Kuckuck schreit deshalb, weil er kein eigenes Nest hat, und der Hund sucht auch im Zobelpelz nach Flöhen. Mir kommt es lediglich darauf an, aufzuzeigen, welcher zivilisatorische Weg zurückgelegt ist, um den Urtrieb, dem Gegner die Zähne ins Fleisch zu schlagen, zur verhältnismäßig harmlosen Grimasse abzumildern. Eine Vorstufe dazu bildet in der Tierwelt das drohende Knurren; ins Menschliche übertragen: die gegenseitige Beschimpfung homerischer Helden über Kaiser Wilhelm II. bis zu Mao Tse-tung. – Es ist mir bei alledem durchaus bewußt, daß ich analogisch vorgehe, wenn ich die Sublimierung sexueller Aggression zum Vergleich heranziehe. Besonders in Maghrebinien ist man in dieser Hinsicht mehr auf das ungehemmte Ausleben als aufs Sublimieren eingestellt. Es wird berichtet, daß ein Mann zu Nassr-ed-Din-Hodscha kam, um ihm sein Leid zu klagen: «Jedesmal, wenn ich mich meiner Gattin nähere, schreit sie: Halte ein, du Unhold, du mordest mich!» – «Morde sie weiter dreimal täglich», erwiderte der weise Hodscha, «ich übernehme die Verantwortung.» –]*

Daß jedenfalls allein mit einer großen mimischen Ausdruckskraft das untrügliche Zeichen für ein reiches Innenleben und damit für eine hohe Entwicklungsstufe des *Protoanthropus polymechanus maghr.* gegeben ist, kann selbst von Dr. Dr. Heyerli nicht angezweifelt werden. Auf primitivster Stufe ist das schon im Tierreich zu beobachten, tritt doch als letztes Merkmal einer vollkommen durchgeführten Domestiezierung beim Haustier eine deutlich abzulesende Mimik auf. So ist es jedem Hundefreund vertraut, daß einer oder der andere seiner Lieblinge regelrecht zu lächeln imstande war oder ist, und ich selbst besitze eine Ziege, die ganz eindeutige Zeichen von feinstschattierten Gefühlen gibt. *[Selbst die Kunst hat sich dieses Motivs bemächtigt*

nicht aus dem spröden und schwerer zu bearbeitenden Flintstein, sondern aus Meerschaum angefertigt sind. Tonscherben lassen in feinen Zeichnungen *[maghrebinischer Früh-Geometrismus]* sowie auch in der eigenwilligen Form der Töpferware das maghrebinische Prinzip des «Fünfe-gerade-sein-Lassens» erkennen. Von besonderem Interesse ist auch das von mir bei Klokotnitza ausgegrabene, aus Rentierknochen geschnitzte Tawli-Spiel.*

Vielerlei Schädel- und Knochenfunde haben es ermöglicht, den Körperbau des *Protoanthropus polymechanus maghr.* zu rekonstruieren. Danach tritt uns der maghrebinische Urmensch, der sogenannte Meandertaler, als Angehöriger einer leichten und wendigen Rasse entgegen. Die Stirne flieht nicht im gleichen Maße wie bei den westlicheren Zeitgenossen; das Haar ist nicht strähnig, sondern gekräu-

und in sehr schönen Darstellungen von Leda mit dem Schwan zum Ausdruck gebracht.] Erreicht nun dieser Ausdruck von seelischen Vorgängen eine so gründliche Durchbildung, daß er vom unmittelbaren Empfinden sich abzulösen imstande ist und reproduzierend wird, so darf in der Tat davon gesprochen werden, daß ein Scheitelpunkt der Entwicklung gewonnen sei, den selbst wir Gegenwärtigen nicht weiter überschritten haben.

Gottlob ist man sich in Maghrebinien dieses hohen Ahnenerbes sehr wohl bewußt. So hat man z. B. in der maghrebinischen Armee nicht gezögert, moderne Waffen, die infolge einer gewissen Materialknappheit nicht ausreichend zur Verfügung stehen, bei Manövern von einfachen Soldaten mimisch darstellen zu lassen. Wie weit nun der Maghrebinier einer Identifizierung mit seiner zugewiesenen Rolle fähig ist, mag folgende kleine Anekdote belegen: Anläßlich der letzten Herbstmanöver war einem Rekruten eingeschärft worden, sich an einer bestimmten Stelle als Maschinengewehr zu postieren. Gehorsam legte sich der Brave hin und rief bei jeder feindlichen Annäherung: »Tut-tut-tut-tut-tut!» Dabei geschah es, daß ein gegnerischer Rekrut, anstatt getroffen hinzustürzen, mit völlig unbewegter Miene weiterging. Unser Maschinengewehr wiederholte eindringlich sein «Tut-tut-tut-tut!», und als der andere trotzdem unangefochten weiterschritt, rief er ihm zu: «He, hörst du nicht, du Rindvieh, daß ich bin ein Maschinengewehr!» Worauf der andere gelassen erwiderte: «Und siehst du nicht, du Esel, daß ich bin ein Panzerwagen?!»

* Dr. Dr. Heyerli setzt die Datierung dieses in einem sensationellen Fund von mir entdeckten prähistorischen Knobelsteinspiels um 15 000 Jahre später, nämlich um den März 1956, an und bezweifelt auch meine Bestimmung des Materials als Rentierknochen mit der Behauptung, es handle sich um Bakelit. Ich lehne es ab, mich mit dem zweifellos verdienstvollen, aber unwissenschaftlich streitsüchtigen Kollegen in weitere Diskussionen einzulassen. Was ist am Kahlköpfigen zu kämmen? Auch: Wer sich zum Misthaufen macht, den kratzen die Hühner auseinander. Niemand, der meine

selt. Allerdings dürfte, wie der verdiente Folklorist Fitzgerald Tartanoglu bestätigt, der Ursprung der heute noch in Maghrebinien gebräuchlichen Redewendung: «Die Stirne strahlt, den Nacken fressen die Läuse» doch später anzusetzen sein.

Auffällig an der physischen Erscheinung des Urmaghrebiniers sind die großnüstrige Spürnase sowie die ungemein beweglichen und langen Finger der Hand, endlich die außerordentlich schnellen Beine. Das Weib ist füllig und neigt, wie uns die Höhlenzeichnungen zeigen, zur Trägheit. In den Höhlen von Arkadasch Bodrum finden wir künstlerische Darstellungen von Züchtigungen fauler Weiber. Es ist danach anzunehmen, daß schon der Urmaghrebinier polygam gelebt hat und es verstand, seinen Willen, härtere Arbeiten von der Frau verrichten zu lassen, energisch durchzusetzen. [Berühmt ist übrigens in Hinsicht auf den Tätigkeitsdrang des Meandertalers ein Höhlenbild, in welchem auf sehr schöne Art die uralte Weisheit zum Ausdruck kommt: «Durch Arbeit wirst du eher buckelig als reich.»]

Zahlreich sind auch die Funde von sogenannten Venus-Bildern ähnlich der im Westen berühmten Venus von Millendorf, nämlich von gedrungener Birnenform, mit übermäßig wuchtiger Beckenpartie, gewaltigem Geschlechtsteil und zipfeligen Brüsten. Der Auffassung des maghrebinischen Privatgelehrten Christoph Vojkffy, es handle sich bei diesen zweifellos kultisch verehrten, aus Stein gehauenen oder in Ton gebrannten Urmutter-Statuetten um die naturgetreuen Abbildungen von Laktations-Weibern, die in Höhlen ge-

naturhistorischen Neigungen kennt, wird daran zweifeln, daß ich imstande sei, ein totes Material wie Bakelit sehr wohl vom Beckenknochen eines Rentiers unterscheiden zu können. Die Expertise der Chemischen Versuchsanstalt Klokutschka, auf die Dr. Dr. Heyerli sich stützt, ist mit der Redewendung abzutun: Mit einem Furz färbt man kein Ei. Ich kenne die Hintergründe, die Dr. Dr. Heyerli veranlaßt haben, die Bedeutung meines Fundes herabzusetzen. Sie sind sowohl persönlicher wie auch politischer Natur. Der Neid brütet auf faulen Eiern Schwäne. Ich aber sage: Schlage nicht mit dem Peitschenstiel an eine fremde Tür, wenn du nicht willst, daß man mit Knüppeln an die deine poltere.

Durch Arbeit . . .

. . . wirst du eher bucklig als reich – so kündet ein Höhlenbild des Protoanthropos polymechanus maghr. Mit dieser Ansicht steht der Meandertaler in merklichem Gegensatz zu Leuten wie Benjamin Franklin oder Otto von Bismarck. Diese Herren, und nicht nur sie, priesen die Arbeit nebst der Sparsamkeit als den sichersten Weg zum Reichtum, wobei sie mögliche Schädigungen des Knochenbaus allerdings nicht erwähnten, sei es aus Unkenntnis, sei es aus pädagogischen Gründen. Schon ein flüchtiger Blick auf einen repräsentativen Querschnitt der Reichen dieser Erde zeigt jedoch, daß der Anteil der Buckligen unter ihnen mitnichten höher ist als unter den Armen. Das zeigt, daß Arbeit entweder nicht bucklig oder nicht reich macht.

halten und gemolken wurden, schließe ich mich ebenso freudig wie dankbar an. Auf die gute Blume fliegt die Biene.

Zweifellos der bedeutendste der Funde aus der Vorzeit Maghrebiniens sind die kürzlich bei Tripala entdeckten und sorgfältig freigelegten prähistorischen Pökelanlagen von Knoblauchfleisch, dem sogenannten *Pastermá*. Von diesen, von mir andernorts ausführlich beschriebenen Zeugnissen einer Jahrzehntausende alten maghrebinischen Hochkultur läßt sich eine direkte Verbindung herstellen zu dem, was wir geschichtlich von Maghrebinien wissen.

II. AUS DER FRÜHGESCHICHTE – UNSERE AHNEN – DIE SKORDOPHAGEN – DAS IST: DIE KNOBLAUCHESSER – SOWIE – UNTER IHNEN – DIE SCHIZOAUDITEN – DAS IST: DIE SCHLITZOHREN. AUCH DIESER ABSCHNITT VERSEHEN MIT EINIGEN WISSENSCHAFTLICH HOCHINTERESSANTEN FUSSNOTEN VON DER HAND DES GELEHRTEN VERFASSERS.

DIE ZWIEBEL DES LIEBENDEN IST EIN HAMMEL.

DIE ERSTEN HISTORIOGRAPHISCHEN NACHRICHTEN VON EINER Urbevölkerung auf maghrebinischem Boden wurzeln noch in Mythos und Sage. Es ist die Rede von den geheimnisvollen *Skordophagen* – das ist: den Knoblauchessern – am Hange der Südostausläufer des kimmerischen Gebirges und der transherzynischen Wälder.

Wenn auch diese Kunde aus dem Nebel der Vorzeit zu uns dringt, trägt sie doch immerhin einiges Wahrscheinliche an uns heran: unterscheiden sich doch seit jeher die Völker untereinander an ihren Eßgewohnheiten.

Schon Herodot und Plinius erwähnen die *Skordophagen* im gleichen charakteristischen Sinn, wie bei ihnen auch die *Lotophagen* Indiens oder die *Ichthyophagen* – das ist: die Fischesser – der arabischen Küstengebiete bezeichnet werden. Perser und Araber sprechen von den Beduinen als *Lizzardfressern*; die christlichen Nord-Abessynier von den westlichen Heidenvölkern als *Mäuseverschlingern*.*

Daß also nicht von Fabelwesen, sondern von einem Volk mit bestimmten Gewohnheiten gesprochen wird, wenn von den Skordophagen die Rede ist, darf für sicher angenommen werden. In der Tat legt die große Liebe, welche die Reitervölker dieses geographischen Raumes traditionsgemäß zu ihren Stuten hegen, die Wahrscheinlichkeit nahe, daß sie eine vegetarische Kost dem Verzehr von Geschlachtetem sowohl wie auch von Wildfleisch vorgezogen haben dürften.** Daß nun, insbesondere bei vorwiegend vegetarischer Verköstigung, der Knoblauch zu besonderen Ehren kommen muß, liegt auf der Hand. Stellt doch seine Knolle, alle guten Eigenschaften von Gewürz, Gemüse und Obst in sich vereinend, herzlich nahrhaft in sich selbst und geschmackssteigernd als Beigabe zu rohen und gekochten Speisen, ein Grundelement der Küche dar.

Die Kochkunst aber ist, nach maghrebinischer Überlieferung, so alt wie die Menschheit selbst. Es heißt danach, der erste Koch sei

* Selbst heutigentags verzichtet der Volkssinn nicht auf solche kulinarischen Charakterisierungen: Die Italiener werden von den anderen Völkern Europas *«Spaghetti»* oder *«Makkaroni»* genannt, in England bezeichnet man die Franzosen wegen ihrer Vorliebe für ein ganz abscheuliches Froschschenkelgericht als *«frogs»* und nennt die Deutschen schlichthin *«Krauts»*, während wiederum der Russe von eben diesen Deutschen als *«Kalbassnjiks»* – das ist: Wurstessern – spricht und ihnen, nebenbei, die Erfindung des Affen und der Eisenbahn zuschreibt.

In den verschiedenen Benennungen der Deutschen durch Engländer und Russen sehe ich, nebenbei, keinen Widerspruch, ergeben doch Wurst und Kraut gemeinsam ein ebenso schmackhaftes wie in Deutschland weitverbreitetes Gericht. Daher auch mein an die *Royal Society of Ethnology* gerichteter Vorschlag, die Deutschen künftig im internationalen Sprachgebrauch allgemeinverständlicher *«Choucroutiden»* zu benennen.

** Dagegen spricht nicht die uralte Verwendung des sogenannten *Pastermá* – das ist: Knoblauchfleisch –, welches ausschließlich aus Hammel zubereitet wird und von dessen Verbreitung die Pökelanlagen in Tripala beredtes Zeugnis ablegen. Im Gegenteil behaupte ich, meine These vom Vegetarismus der Frühmaghrebinier damit erst endgültig untermauern zu können:

Jeder Tierliebhaber weiß, welch stumpf ergebene, zu keinerlei nervösen Reaktio-

Adam gewesen, der schon im Paradiese die *Baba Tschorbassi* – das ist: die Vatersuppe – zubereitet habe, naheliegenderweise aus Früchten, Gemüsen und Würzkräutern des Gartens Eden. Als zweiter Ahnherr der Köche wird Noah bezeichnet, der das Gericht *Aaschura* kochte, einen Eintopf aus Gemüsen und Hülsenfrüchten, der am Tage *Aaschuraj*, nämlich am sechsten Tag des Monats *Muharrem*, zum Andenken an die Errettung des Menschengeschlechtes aus der Sintflut genossen wird. Der dritte und bedeutendste der Köche, endlich, nach maghrebinischer Überlieferung der vorbildlichste, ist Jakob, der mit einem selbstzubereiteten *Gjiwetsch* – das ist: ein Linsenmus – seinem Bruder Esau die Erstgeburt abkaufte.

Sowohl in der *Baba Tschorbassi*, wie auch im *Aaschura* und, desgleichen, im Linsen*gjiwetsch* Jakobs ist es der Knoblauch, der dem jeweiligen Urgericht Kraft und Würze gibt, ebenso wie in dem migränevertreibenden Salat aus Schafsköpfen und Essig, den der Scheich *Seiff Ed-Din Churei* für den Propheten zubereitete; und endlich auch im *Herissé*, dem Fleckenmus, das der Prophet am Tage der Eroberung Mekkas eigenhändig kochte und an die Eroberer verteilte.*

nen fähige Kreaturen besonders die Gattung des Fettsteißschafes stellt. Dem nervigen Maghrebinier der Frühzeit muß dieses Tier, verglichen mit der Mutwilligkeit des Pferdes oder der kapriziösen Ziege, verglichen auch mit dem drolligen Eigensinn der Eselin oder mit dem anschmiegsamen Frohsinn des Hundes, eher pflanzenhaft vegetativ und also reuelos genießbar vorgekommen sein. [*Auch heute noch herrscht in Maghrebinien eine gewisse Geringschätzung für das tumbe Schaf, und man berichtet von einem kleinen Mädchen namens Fendrulla, welches, ein fettes Schaf am Strick, dem durch die Morgenkühle sich ergehenden Weihbischof Stigmatarsky begegnete. «Guten Morgen, kleine Fendrulla», sagte Seine Eminenz sehr väterlich, «wohin führt dich so früh dein Weg?» – «Ich bringe das Schaf zum Bock», erwiderte die kleine Fendrulla artig. «Aber, aber», wiegte der Kirchenfürst bedenklich das hochwürdige Haupt, «wäre es nicht angemessener, dein Vater täte das?» Worauf die kleine Fendrulla voll empörtem Stolz entgegnete: «Mein Vater tut es nicht mit Schafen.»*]

Erst recht in Verbindung mit dem Knoblauch – welchselber die *Pastermá* erst zu dem macht, was sie ist – kann also das Hammelfleisch niemals anders denn als vegetarische Nahrung in das Bewußtsein des Maghrebiniers eingedrungen sein. Alles spricht dafür, daß die frühen Maghrebinier das Schaf als eine Art Gemüse angesehen haben, vermutlich als einen vierbeinigen Blumenkohl.

* Die Erfindung des *Serdé* – das ist: ein mit Safran rotgefärbter gekrullter Reis –

Entsprechend ist die Hochschätzung, welche die wundervolle Würzknolle bei allem Volk allüberall im Großraum Maghrebiniens erfährt. Den Türken gilt der Knoblauch seit jeher als ein probates Mittel zur Verhütung der Pest; den Arabern als ebensolches zur Abwendung des Wüstensandsturms *Samûm*. Die Sekte der *Djess-idis* – das ist: der Teufelsanbeter – und auch die Kurdenstämme der *Chalati* und *Tschechwani* halten den Knoblauch so hoch in Ehren, daß einer sein Leben wagen würde, wollte er in ihrer Gegenwart verächtlich mit einer Knoblauchzehe umgehen. Nach moslimischer Legende nämlich sprossen, als der Teufel zum erstenmal das Paradies betrat, unter seinem rechten Fuß der Knoblauch und unter seinem linken die Zwiebel auf. Eine Beleidigung des Knoblauchs [oder auch – wiewohl mit einigem Abstand – der Zwiebel] kommt einer Schmähung des Teufels [als Gott ebenbürtigem Widerpart des Schöpfungsprinzipes] gleich.*

Die Ausgrabungen von Tripala haben nun eine erstaunlich große Menge von Votivgaben in Form von phallischen Stelen zutage gefördert, die an Stelle der *Glans* mit einer Knoblauchknolle prangen und eindeutig darauf hinweisen, welche befeuernde Wirkung

wird dem Schreiber des Propheten zugeschrieben. Er kochte ihn an dem Tag, da der Held *Hamsa* erschlagen wurde, den vor allem die persischen Schiiten verehren. Die Perser, sonst ein auf höchster kulinarischer Höhe stehendes Volk, essen daher nur ungern *Serdé*.

* So gründlich sind Knoblauch und Zwiebel in das geistige System der Maghrebinier eingesenkt, daß bei der maghrebinischen Armee es sich als empfehlenswert erwiesen hat, den Rekruten nicht erst auf langwierige Weise die Unterscheidung zwischen den Abstrakta *links* und *rechts* beizubringen; man legt ihnen besser in die linke Hand eine kleine Zwiebel und in die rechte einen Knoblauch: Nicht nur läuft dann das Exerzieren nach dem Kommando: «Zwibbloch-Knobbloch! – Zwibbloch-Knobbloch!» wie am Schnürchen ab, sondern es ist auch zur gleichen Zeit für einen einfachen, kräftigenden, auch billigen und von der Truppe selbst mühelos mitzutransportierenden Proviant gesorgt.

Übrigens bedarf es, um die Hochschätzung der Maghrebinier für Knoblauch und Zwiebel darzustellen, keinerlei wissenschaftlich geführten Nachweises, wird doch ein jeder, der jemals maghrebinische Kost genossen hat, bereitwilligst bestätigen, daß ein jegliches der ungezählten, oft äußerst raffinierten Gerichte dieser ungemein reichhaltigen und feinen Küche auf seine Weise nach Knoblauch oder Zwiebeln schmeckt.

dem im [vegetarischen] Pökelfleisch *Pastermá* so reichlich enthaltenen Knoblauch schon in vorgeschichtlichen Zeiten beigemessen wurde. In der Frühzeit tauchen solche Stelen in fast unveränderter Gestalt, wenngleich schon feiner ausgearbeitet, als Grabbeigaben in Häuptlingsgräbern auf. Die Wucht dieser Monolithen läßt erkennen, welche Eigenschaft es war, um derentwillen die Skordophagen bei ihren Nachbarvölkern, den Ixiomaten und Jazygen, Skythen und Bastarnern, den Jazabeken und Kezeken, Spandolikern und Semljaken, in so hohem Ansehen standen.*

Die maghrebinische Frühzeit war bewegt. Die unternehmungslustigen Völkerschaften zogen hin und her und vermischten sich untereinander nicht weniger gründlich, als es uns Heutigen dank hochentwickelten Verkehrsmitteln und einer im Großen arbeitenden, überaus wohlorganisierten Urlaubsreisen-Industrie ermöglicht ist. Was jenen jungen Völkern an Schnelligkeit und Komfortabilität der Kommunikationen gebrach, machten sie wett durch kraftvolle Ursprünglichkeit und gewissenhafte Gründlichkeit. Kein Feldzug wurde unternommen, ohne daß nicht durch Schwängerung der zurückbleibenden Weiber der Nachwuchs für die voraussichtlichen Verluste gewährleistet war; kein Sieg wurde erfochten, ohne daß nicht dem gegnerischen Volk der gleiche großmütige Liebesdienst ge-

Weit über die Grenzen Maghrebiniens hinaus verbreitet ist die Geschichte von zwei Freunden, die einander auf der Straße begegneten: Der eine sattselig lächelnd: «Oj, hab ich gut gegessen!», worauf der andere neugierig wissen will: «Was?» – «No, rate», sagt der erste; und der zweite bittet: «Gib e Hauch!» Der erste haucht ihm unter die Nase. «Knobelfisch!» rät der zweite, indem er seinen Kopf zurückwirft. Der erste verneint. «Gib noch e Hauch!» verlangt der zweite. Abermals haucht ihm der erste unter die Nase. «Zwiebelfleisch?» rät der zweite mit abgewendetem Gesicht. Der erste schüttelt den Kopf. «No, was hast du gegessen?» fragte der zweite am Rande der Geduld. Darauf der erste sattselig: «Erdbeertortelett!»

* Es wird dem Kenner Maghrebiniens durchaus einleuchten, daß zur Großen Weltausstellung in Philadelphia [1902], anläßlich welcher die Völker der Erde das Beste und Größte, was sie an technischen Errungenschaften sowohl wie auch an Gaben der Natur aufzuweisen hatten, für den maghrebinischen Pavillon nichts anderes vorgesehen war als ein junger Hirte, auf dessen Männlichkeit, wenn sie im Prangen war,

leistet wurde. Von den Badinern und Melanchaenen stammen höchstwahrscheinlich die Huzulen ab; die Pomaken von den Agathyrsen und Oitensiern. Der Adel Maghrebiniens, auf das leuchtendste vertreten durch die Geschlechter der Kantakukuruz und der Pungaschij [sowie, wenngleich mit einigem Abstand, auch durch die Siktirbey], führt seine Ursprünge auf eine mythische Verbindung der Skordophagen mit dem Schizoauditen, dem sagenhaften Volk der Schlitzohren zurück.*

Im vierten Jahrhundert vor unseres Heilandes Geburt erfuhren diese bunten Völkerschaften eine flüchtige Gräzisierung, die jedoch deutliche Spuren hinterlassen hat. Die Kuppelgräberfunde, die ich dank einem glücklichen Zufall bei Gogleatza Mare machen durfte [eine außerordentlich schöne Wildeselin, die ich verfolgte, brach flüchtend in eines der Gewölbe ein und verschaffte mir so zu der Befriedigung des Jägers auch noch die des unvermutet fündig werdenden Archäologen], haben aufgezeigt, daß zur Ausrüstung eines Stammeshäuptlings jener Frühzeit neben allerlei verschiedenartigster Gerätschaft auch die Bewaffnung des griechischen Hopliten gehörte. Sie wird freilich bald vom Panzerhemd – der sogenannten Ringbrünne – des Sarmaten verdrängt. Es taucht auch hier schon der konische Eisenhelm der Petschenegen auf, desgleichen der Hand-

sieben Raben nebeneinander sitzen konnten, wobei freilich einschränkend zu bemerken ist, daß der siebte Rabe nicht ganz bequem und sicher saß und gelegentlich das Bein zu wechseln hatte. *[So waren es denn auch nicht, wie fälschlicherweise behauptet wird, die amerikanischen Frauenverbände, allen voran die Daughters of the American Revolution, die sich gegen die Aufstellung des Hirten erklärten und sie schließlich auch verhinderten, sondern vielmehr die damals mächtigen Aufschwung nehmende Tierschutzbewegung, welche eine Ermüdung des siebten Raben bei längerer Ausstellungsdauer befürchtete – eine Fürsorge, die mich ebenso rührt, wie mir ihr übertriebener Eifer immer noch ein Lächeln abnötigt.]* Siehe übrigens auch die ironische Redewendung: Der Hahn spricht: «Wie stolz ist mein Schwanz!» Da sagt der Esel: «Da muß ich freilich schweigen!»

* Es hat diese Herkunftsmythe jedoch nichts zu tun mit dem Schrei, den man seinerzeit häufig in den [inzwischen leider geschlossenen] Freudenhäusern von Metropolsk, allen voran das berühmte Institut der Marlene Lakapene zu hören bekam: «Halte mich bei den Ohren! Halte mich fest an beiden Ohren!» Damit sollte lediglich er-

schar – das ist: das Krummschwert – und die Morgensternkeule. Bogen, Pfeil und Wurfspeer, seit alters her in Gebrauch, erfahren eine hohe technische Vollendung.

Xenophon berichtet von der gefährlichen Fertigkeit der Parther, sich im Sattel umzudrehen und auf die Verfolger zu schießen. In der gleichen Taktik entwickelten die Schizoauditen eine solche Meisterschaft, daß, wann immer sie einer feindlichen Streitmacht begegneten, beide Haufen wie gehetzt in entgegengesetzte Richtungen auseinanderstoben – eine Möglichkeit der Kriegsführung, die bis heutigentags dem Hohen Generalstab der maghrebinischen Armee für vorbildlich gilt.*

Neben der Aufzucht und Wartung ihrer Hammel- beziehungsweise: Blumenkohl-Herden, war also der Krieg die Hauptbeschäftigung der Skordophagen, und es nimmt nicht wunder, daß ein so inbrünstig ausgeübtes Handwerk in der Aufeinanderfolge von Generationen Ausübender schließlich eine hohe Verfeinerung und edelsinnige Durchdringung erfährt. In dem, was aus jener noch recht sagenhaften Frühzeit durch mündliche Überlieferung auf uns gekommen ist, drückt sich aus, wie die Skordophagen geradewegs zu Dandies ihres rauhen Berufes wurden.

So zum Beispiel wird berichtet: Ein aufsässiger Teilfürst war vom König gefangengenommen worden. Der König befahl, ihm zur Strafe für seine Unbotmäßigkeit Hände und Füße abzuhacken. Als die Rechte des Häuptlings unter dem Beil des Henkers gefallen war, tauchte jener – nämlich der Teilfürst – den rauchenden Stumpf in die sich bald bildende Blutlache und beschmierte sich das Gesicht mit Blut. «Warum tust du das?» fragte der König. «Weil», so erwiderte

reicht werden, daß die Hände der jeweiligen Liebesgespielin eindeutig beschäftigt waren und nicht an die Brieftasche des Klienten gelangen konnten.

* Es ist dies nicht in Bezug zu bringen mit der in Maghrebinien gebräuchlichen Redewendung, ein tapferes Mädchen trage seine Narben auf dem Rücken. Vielmehr geht sie, wie der überragende Folklorist Fitzgerald Tartanoglu versichert, auf die Tatsache zurück, daß namentlich die südöstlichen Gebiete Maghrebiniens außerordentlich trocken und steinig sind.

der Teilfürst, «ich noch viel Blut verlieren werde, wenn meine andere Hand und meine Füße abgeschlagen sind. Und keiner soll sagen können, er habe gesehen, daß ich erbleiche.»

Von einem König aber wird berichtet, er habe mitten im bewegten Schlachtgetümmel einen Pagen zu seinem Zelt geschickt, um eine Phiole mit Zibeben-Parfum zu holen, mit welcher Duftessenz er dann in äußerster Gelassenheit begann, Bart und Schnurrbart zu balsamieren sowie auch hinter den Ohren und an den Ohrläppchen

sich zu salben. Einer seiner Feldhauptleute rief ihm zu: «Muß das jetzt sein, Herr, da die Schlacht nicht zum besten für uns steht?» Der König, so heißt es, habe darauf erwidert: «Eben darum, du Esel! Die Schlacht ist schon verloren. Und wenn unsere Köpfe abgeschlagen sind, sollen unsere Feinde, diese Hunde, den meinen an seinem Duft erkennen als ein Königshaupt.»

Heute noch heißt es in Maghrebinien: Für einen haarigen Kopf macht der Säbel den Kamm.

Indes nicht nur der kriegerische Hochsinn der Skordophagen war hochentwickelt. Bei Zsidovár [dem heutigen walachischen Sidioara] grub Dr. Dr. Heyerli mit Unterstützung der *Rockefeller Foundation** in den Resten der riesigen Zyklopenmauer** verschie-

* Ich habe kein eigenes Kleid, aber ich hänge an fremder Schleppe!

** Folge der Eule, sie wird dich zu einer Ruine führen!

dene Schichten* ab und förderte aus den Anlagen der Stadtsiedlung des hellenisierten schizoauditischen Teilfürsten Nulpomanos – höchstwahrscheinlich ein Sohn Nulpomanos' IV., Sphaktokrator – große Mengen von Münzen zutage,** die insofern beachtenswert sind, als sie eine der frühesten der uns bisher bekannten Münzverschlechterungen, beziehungsweise Münzfälschungen darstellen.*** Als sogenannte *Pseudo-Nulpomenes-Statere* ist dieses Falschgeld zur gesuchten Rarität für anspruchsvolle Numismatiker geworden. Tiefgründigere Kenner der Materie hätten es allerdings längst als Modell für die Prägung der staatlich maghrebinischen Münze erkennen können.****

Neben der durch die Stelen von Tripala ganz augenfällig gemachten Manneskraft der Skordophagen und ihrer hochentwickelten Kriegstüchtigkeit war es ganz zweifellos ihr frühes Einfühlungsvermögen in Wesen und Macht des Geldes, was schließlich ihre Nachbarvölker sich ihnen unterwerfen und endlich mit ihnen zum Volk der Maghrebinier verschmelzen ließ – ein Prozeß, der freilich seine Weile brauchte.

Ein rundes Jahrtausend ist hingegangen seit der ersten Kunde von den sagenhaften Knoblauchessern am Hange der Südostausläufer des kimmerischen Gebirges und der transherzynischen Wälder bis auf Nikephor I., den Großen, aus dem königlichen Geschlecht der Karakriminalowitsch, dem Sohn des überragenden Wojwoden Přzibislaw, genannt Křziwousty – das ist: Schiefmaul – und Irenes,

* Man soll nicht mit der Nadel den Brunnen graben!

** Wenn die Henne ein Gansei legen will, so platzt ihr der Darm!

*** Wenn der Händler nichts zu tun hat, so verändert er die Gewichte! und: In der Dunkelheit sind zehne neun!

**** Das Verdienst, das Dr. Dr. Heyerli mit diesen Ausgrabungen nicht abzusprechen ist – [man sagt in Maghrebinien: Er fastete sieben Jahre und hat dann eine Zwiebel gegessen!] –, ist leider eingeschränkt durch seine höhnische Zurückweisung meiner Theorie, daß die beiden im Tempel von Sidioara aufgefundenen archaischen Idole, nämlich die Statue eines jungen Mannes und das außerordentlich lebensvolle Steinbild eines Kalbes, identisch seien mit dem in der maghrebinischen Volkssage umgehenden Liebespaar, das sich in seiner Leidenschaft so weit vergessen hatte, seine

der unvergleichlichen Tochter des Chuzpaphoros Yataganides. Immerhin haben schon die vorchristlichen Skordophagenherrscher weit vorausschauend den Reichsgedanken gehegt. So hatte eben jener Nulpomanos IV. Sphaktokrator, dessen Stadt beim heutigen Sidioara stand, bereits die beiden ersten der drei Talismane der Weltherrschaft an sich gebracht: das Siegel Salomonis und den Weltenspiegel Alexanders des Großen. (Das Siegel des Königs Salomo, der, wie man weiß, die Geister beherrschte, bannt die Dämonen. Der Weltenspiegel Alexanders, indes, zeigt auf einen Blick die Erde mit allen Ländern und Völkern in vollkommener Übersicht.) Es sollte sich später, unter Nikephor I., diesen beiden mächtigen Hilfsmitteln noch das dritte beigesellen, nämlich der Becher des Djendji, mit sieben eingeritzten Linien siebenfach unterteilt: je nach der Linie, bis zu welcher man ihn füllt, zeigt er die Geheimnisse des jeweiligen Erdengürtels an.

Es sind diese kostbaren Dinge mit dem Kronschatz der Karakriminalowitsch, den der letzte Monarch aus dem erhabenen historischen Hause, Nikifor XIV., ins Exil nach Acapulco in Mexiko mitgenommen hat, leider für Maghrebinien verlorengegangen. Als einziges, jedoch nicht minder symbolträchtiges Zeugnis aus der bis zu den Skordophagen zurückreichenden Frühgeschichte Maghrebiniens ist uns erhalten geblieben die auf die schizoauditische Dynastie der Nulpomaniden zurückgehende eiserne Hand, die heute noch im Kloster von Klokotnitza aufbewahrt wird. Ähnlich wie die an die Zypresse des heiligen Andreas angekettete wundertätige «Hand der Gerechtig-

Sehnsucht nach physischer Vereinigung auf geweihtem Boden zu stillen. Zur Strafe für diese Freveltat wurde es in Stein verwandelt, später aber vom Volk mißverständlich als Gottesbilder verehrt.

Dr. Dr. Heyerlis Gegenbehauptung, es handle sich um nichts weiter als ein Handwerkszeichen für einen Metzgerladen, von Profitanten während der Ausgrabungen ins Tempelgelände eingeschmuggelt, widerspricht nicht nur der inzwischen wissenschaftlich erhärteten Tatsache des Vegetarismus der Skordophagen, sondern es trägt auch diese jämmerliche Gegenthese den Stempel einer gänzlich unmaghrebinischen geistigen Dürftigkeit, deren sich der ansonsten recht fachkundige Kollege leider immer wieder schuldig macht. Der Rock des Geizigen wärmt nicht, und aus Hundedreck gewinnt man kein Fett. Der wissenschaftliche Ruf des Dr. Dr. Heyerli mag im We-

keit» schließt oder öffnet auch sie sich, und zwar: sie öffnet sich zum Empfang und schließt sich nach Erhalt des gerechten Preises – sprich: Bakschisch.*

sten hochgehalten werden; in Maghrebinien weiß man, was man davon zu halten hat: Da nennt sich einer Amber und ist doch ein Latrinenputzer.

* Die anmaßende Behauptung Dr. Dr. Heyerlis, es habe den Weltspiegel Alexanders nie gegeben, vielmehr gehe die Legende von ihm auf den *Pharos* – das ist: der Leuchtturm – von Alexandria zurück, stellt eine Beleidigung nicht nur des unglücklichen Monarchen Nikifor XIV. [dem Dr. Dr. Heyerli eine beabsichtigte Düpierung der amerikanischen Antiquitätenhändler unterstellt], sondern auch des gesamten historischen Hauses der Karakriminalowitsch und damit Maghrebiniens dar. Was nicht ungeahndet bleiben dürfte, hätte man sich nicht bei uns zulande an die Beckmesserei des anderswo vermutlich höher angesehenen Gelehrten gewöhnt. Die maghrebinische Wissenschaft jedenfalls wird seiner kleinlichen Genauigkeit ebensogern entraten wie seiner herzeinengenden Trockenheit. Der Wolf ist kein Hirte, und das Schwein kein Gärtner. So weise ich auch die vom Kollegen Dr. Dr. Heyerli im *«Kenner»* veröffentlichte Bestätigung meiner Bestimmung der Eisernen Hand von Klokotnitza als Arbeit aus der Nulpomaniden-Epoche zurück: Lieber den Strang, als die Fürsprache eines Hurensohns.

ZUR PSYCHE DES MAGHREBINIERS

DER KLASSISCHE MYTHOS IM SPIEGEL DER MAGHREBINISCHEN SEELE – VERFASST VON PROFESSOR HESIOT MILANOWITSCH-FASZWARY – EMERITIERTER REKTOR DER NASSR-ED-DIN-HODSCHA-UNIVERSITÄT FÜR VÖLKERFREUNDSCHAFT UND OKZIDENTALISTIK ZU METROPOLSK – EHRENPRÄSIDENT DER MAGNUS-HIRSCHFELD-GESELLSCHAFT UND AUTOR DER GRUNDLEGENDEN WERKE: «ZUR SEXUALSYMBOLIK DES EINHORNS» UND: «DER BASILISK ALS SADOMASOCHISTISCHES SYMBOL» U.V.A.M....

DER HABICHT KÜSST DAS HÜHNCHEN –
BIS ZUR LETZTEN FEDER.

Zur Person des Autors:

Eine Säule der maghrebinischen Wissenschaft, lebt und wirkt der greise Gelehrte heute zurückgezogen in einem dem Publikum nicht zugänglichen Seitenflügel des Marlene-Lakapene-Instituts zu Metropolsk. Seine wissenschaftliche Laufbahn war glänzend. Schon frühzeitig begann der Altphilologe sich für die Psychologie der C. G. Jungschen Schule zu interessieren und wurde einer ihrer feurigsten Verfechter, nicht ohne sie um einige maghrebinische Aspekte zu bereichern. Die intensive Beschäftigung mit der Welt der Fabeltiere im Zusammenhang mit der speziellen Tiersymbolik der Skordophagen brachte Hesiot Milanowitsch-Faszwary in enge Verbindung mit Walt Disney, in dessen Institut in Kalifornien er Studien anstellte, welche die Grundlage für sein späteren Denken und Lehren bilden sollten. Eine große Anzahl von Schülern verdankt dem bedeutenden Gelehrten eine ebenso tiefe wie breite geistige Bildung. Die Verehrung, die Professor Milanowitsch-Faszwary in aller wissenschaftlichen Welt genießt, gereicht der maghrebinischen Nation zum Stolz. Seine Büste, von Saul Steinberg in Bronze gegossen, ziert an einem Ehrenplatz die große Aula der Nassr-ed-Din-Hodscha-Universität von Metropolsk.

HELLAS UND MAGHREBINIEN VERSUCH EINER SYNOPSIS AN HAND DER ADAPTIONEN HELLENISCHER MYTHEN AN DIE MAGHREBINISCHE – DAS HEISST: REAL-ILLUSIONISTISCHE – MENTALITÄT.

WENN DU DIE BRAUE SCHMÜCKST –
REISS DAS AUGE NICHT AUS.

Es STEHT AUSSER ZWEIFEL, DASS UNTER DEN ANTIKEN RANDkulturen die maghrebinische die interessanteste Mischform bildet. Höchst harmonisch vereint sie Autochthones mit Übernommenem, Westliches mit Östlichem, Mediterranes mit Nordischem.

Auch Hellas hat seinen Glanz auf Maghrebinien geworfen. Wir finden seine Spuren in den Ruinen der Tempel des Apollo-Kultes und der Liebesgöttin Aphrodite bei Bibisnyhely und Fockschanitza, und hier wie dort zeigen sich bereits eigene, symbolisch äußerst ausdrucksvolle Spielformen der Verehrung dieser Gottheiten der alten Welt.

Bei Bibisnyhely steht der Tempel des Apollo auf einer schönen Hügelkuppe und birgt einen sprudelnden Orakelquell. Die Anlagen des Aphrodite-Heiligtums bei Fockschanitza – offene, von doppelten Ringhallen umgebene Hofräume – sind um einen geheimnisvollen Felsspalt errichtet, in dessen unmittelbarer Nähe ein vom Blitz gezeichneter uralter Ölbaum stand. Große Freitreppen führen hinauf bis an die Sockelwand, die das Allerheiligste einfaßte und dem profanen Blick entzog. Wie die von Sir Mortimer Dozbull-Puzzlefield sehr fachkundig geleiteten Ausgrabungen erwiesen haben, wurde der

Kult der *Aphrodite Peribaso* – das heißt: die auf den Strich geht – im Freien abgehalten, während der Nebentempel der *Aphrodite Xenia* – das ist: die Gastfreundliche – ein geschlossenes Haus unter einer von zwölf ionischen Säulen getragenen Vorhalle war.

Dank der großzügigen Restaurationsarbeiten des Ministeriums für Tourismus, Volksaufklärung und Hygiene sind diese heiligen Anlagen fast vollzählig im alten Glanze wiedererstanden. Selbstverständlich wurden dazu weitestgehend die alten Baureste und Trümmer verwertet, von denen an erster Stelle hervorzuheben sind die herrlichen Abschlußgesimse des Apollo-Tempels mit ihrem erlesen modellierten Eierstab und der schlanken Eibblatt-Ornamentik. Neu errichtet wurden von den zahlreichen Anbauten und Nebengebäuden vor allem die Dormitorien, die dem heilenden Tempelschlaf dienten.

Auf Anregung Seiner Exzellenz, des Herrn Kultusministers Mandolin Popartian, ist in frommer Kultnachfolge einer zweitausendjährigen Überlieferung der antike Brauch der Inkubation wieder zum Aufleben gebracht worden. Mit Rücksicht auf die starke Nachfrage mitteleuropäischer Reisender wurden jugendliche Tempeldiener und -dienerinnen in antiken Gewändern eingestellt, um im Dienst der Gottheit zu walten. Die ausländische Presse hebt besonders hervor die jungen Priester des *Apollon Papagallos*, die den Hahn als ihrer Gottheit zugeordneten Vogel heilig halten. Wie sein Herr ist dies Geflügel ein Lichtbringer und Troubadour. Die Priester wirken als Sänger und Leierspieler, aber auch als Jäger und Auguren, vornehmlich jedoch als Heilkünstler im Dienste der ewigen Jugend ihres Gottes. Sie verhelfen den archäologisch interessierten Touristen zu jenen Schauern, welche ihnen die naturbeseelte Antike verheißt.

Über die etymologische Bedeutung des Namens *Apollon Papagallos* gibt es noch Auseinandersetzungen in der gelehrten Welt. Sir Mortimer Dozbull-Puzzlefield deutet ihn unter Berufung auf Herodot, der eine skythische Gottheit *Zeus Papaios* nennt, als Allvater schlechthin: Apoll, der zur Vaterschaft verhilft. Der überragende Archäologe möchte jedoch nicht die Möglichkeit ausschließen, daß dabei durch Verballhornung beziehungsweise Lautverschiebung, eine gewisse Verbindung mit dem *Paprax*, einem thrazischen Sumpffisch, bestehen könnte. Ich, für mein Teil, sehe eine Verwandtschaft mit dem altgriechischen Verbum *papteine* – das heißt: sich schüchtern umsehen –, auch mit: *Papei!* – das ist: ein Ausruf der Überraschung und des Schmerzes.

Dagegen vertritt Dr. Dr. Heyerli die Auffassung, daß es sich bei dem Beinamen *Papagallos* um einen erst im späteren Mittelalter aufgenommenen Spitznamen mit der Bedeutung «welscher Pope» handle, also für ein Plappermaul von stereotypen, fremdartig klingenden Sprüchen, ähnlich wie der exotisch bunt gefiederte Papageienvogel, der diesen Namen trägt. Hinwieder sind durch sehr reiche Münzfunde in den Kellergewölben der Tempelanlagen Hinweise auf eine eigenartige Verschmelzung des Apollokultes mit dionysischen Elementen gegeben. Die Münzen zeigen einen mit Hahnenstoß und Hahnenkamm gezierten Satyr, der eine Nymphe in den Tempel trägt, wobei auf den älteren Prägungen die Nymphe noch einen gewissen Widerstand leistet, während sie auf den jüngeren ihrerseits Münzen ausstreut.

Die Beinamen der maghrebinischen Aphrodite sind eindeutig: Neben und über der *Peribaso*, der Strichgängerin, und der *Xenia*, der Gastfreundlichen, wird als göttlicher Sammelbegriff die *Irma la douce von Fockschanitza*, die *Ananeusa* – das ist: die Verjüngende – genannt.

So beredt nun diese handgreiflichen Zeugnisse bereits von einer urkräftig eigenwilligen Anpassung griechischer Kulte an die maghrebinische Psyche aussagen, wird die Adaption in ihrer vollen Tiefe doch erst sichtbar am Wandel des Sinngehalts, den griechische Mythen in Maghrebinien erfahren haben. Als zwei charakteristische Beispiele nenne ich die Urmythen von *Tantalos* und *Sisyphos*.

In der maghrebinischen Version der ersteren wird, bei einem charakteristischen Zug bäuerlich derber Drolerie, die gänzlich diesseitige Nüchternheit des Maghrebiniers deutlich, nämlich in der hygienischen Weisheit, daß Überfluß von qualvollerer Wirkung ist als Mangel. Tantalos, der frevlerische Lydierkönig, dessen zur Strafe auferlegte Qualen uns Pindar so eindrucksvoll geschildert hat, ist hier nicht dazu verdammt, ewigen Hunger und Durst zu erleiden. Im Gegenteil: Im Flusse stehend, der steigt und sinkt, hat er die Maulsperre. Steigt das Gewässer, so muß er Wasser schlucken, bis er beinah platzt. Sinkt das Wasser wieder, so drückt ihm der Wind das überflüssige Gezweige von Pfirsichbäumen und Weinstöcken in den immer weitoffenen Rachen. Er ist ständig übersättigt und hat dabei dauernd Durchfall.

Die maghrebinische Version des Mythos von Sisyphos dagegen zeigt, neben der charakteristischen Verschmitztheit, ein geradezu tiefenpsychologisches Eindringen in das Wesen des Qualvollen, surrealistisch bildhaft erfaßt, dabei wiederum vom maghrebinischen Lebensgefühl versöhnlich ausgeglichen:

Sisyphos, so hört sich der maghrebinische Mythus an, strebte nach göttlichem Ansehen und ahmte daher das Rollen des Donners nach, indem er blähende Gerichte wie Bohnen und Zwiebeln aß. Als angeblicher Sohn des Aiolos, der die Winde verwaltete, ließ er ungehemmt die seinen fahren, hielt außerdem in seinem Munde eine hohle Walnuß, die mit glimmendem Moos gefüllt war. So sprühte er zum Donner auf seine korinthischen Untertanen auch noch Feuer und Blitze wie Zeus selbst. Die Strafe ereilt ihn in der Unterwelt: er findet sich dort mutterseelenallein. Nach langem Wandern auf der Suche nach Gutgläubigen, die er mit seinen eitlen Mätzchen in ehrfürchtiges Staunen versetzen könnte, schläft er im Schatten eines Felsblocks ein. Sogleich träumt ihm, die Götter hätten ihm aufgetragen, den Felsblock zum Gipfel eines Berges hinanzuwälzen. Er unternimmt die schweißtreibende Arbeit. Kaum aber ist er oben angelangt, entgleitet ihm der Felsen und rollt mit aller Wucht zurück. Sisyphos erwacht. Er will den Bann des Traumes brechen und versucht in der Tat, den Felsblock zu bewegen. Aber er ist viel zu faul, um alle Kräfte aufzuwenden. Er legt sich wieder in den Schatten des Felsens – und träumt wieder denselben Traum. So bis in alle Ewigkeit.

Offenbaren sich allein mit diesen beiden Adaptionen schon die Grundzüge des maghrebinischen Weltgefühls als ein das hellenische sowohl zurechtrückendes, wie auch erweiterndes, so wird die überlegene real-illusionistische Weltauffassung erst recht deutlich in den maghrebinischen Fassungen der Mythen, in welchen das leuchtend Lebensvolle einerseits, andererseits das tragische Einsichtsvolle des griechischen Bilderdenkens einen Wandel ins Real-Illusionistische erfährt, nämlich in den mythisch-heroischen Sagen von Ödipus und Herakles.

Die maghrebinische Version der Ödipus-Sage ist charakteristisch für die Direktheit, mit welcher der real-illusionistische Geist zugreift, um das Essenzielle eines Sinngehaltes freizulegen. Nicht «Schwellfuß», nämlich *Oidipous*, heißt der Held der schicksalsträchtigen Legende, sondern *Oidipeus* – das ist: Schwellglied –, womit eine weitere Auslegung der Symbolik überflüssig wird.

Die Rätsel, welche die Sphinx dem Heros aufgibt, sind:

«Was ist nicht dein Schatten und flieht, wenn du ihm folgen willst,
und hängt dir an, wenn du davor flüchtest?»
Antwort: «Die Frau.»

«Was ist eines und doch zweimal ganz verschieden?»
Antwort: «Wieder die Frau; vor und nach der Heirat.»

«Was ist zugleich leer und voll?»
Antwort: «Zum drittenmal die Frau: Wenn ihr Schoß leer ist, hat sie den Mund voll Schimpfereien.»

Es heißt, die Sphinx habe sich mit den Worten: «Mögest du ewig mit Lysol gurgeln!» in den Abgrund gestürzt.

Das Rätselraten gehört übrigens heute noch zu den beliebtesten maghrebinischen Zeitvertreiben.

Herakles, indes, der mystisch-urige Übermensch und Halbgott, der unter vielen Irrungen und Wirrungen die Erde des Menschheitsfrühlings von allerlei Ungeheuern befreit und Naturgewalten bändigt, Hellas' lebensvollstes Menschenvorbild, hat schon in der griechischen Spätantike eine Abwandlung erfahren. Die Autoren der Spätzeit stellen ihn als eine Art von *Bodybuilding* treibendem Stachanowiten dar. Er läßt sich auf einen pedantisch festgelegten Säuberungsplan festlegen und führt ihn mit der Keule Punkt für Punkt durch. In der maghrebinischen Mythologie erscheint dieser dümmlich grobe Gewaltmensch in gänzlich anderer Gestalt, nämlich als ein erfindungsreicher Tausendsassa und Hans Dampf in allen Gassen, gewissermaßen als der Dr. Unblutig unter den urzeitlichen Kulturheroen. Real-illusionistisch aufgefaßt hört sich die Sage von ihm folgendermaßen an:

Königin Alkmene hatte ihrem Gatten Amphitryon, der sich auf einem Feldzug befand, so kräftig Hörner aufgesetzt, daß sie mit einem Zwillingspaar von Knaben niederkam. Vom heimgekehrten König zur Rede gestellt, verstand sie es, ihn zu überzeugen, daß zumindest einer davon sein Sohn sei. Welcher? – das sagte sie ihm nicht. Man taufte die Knaben auf die Namen Iphikles und Herakles.

König Amphitryon wollte nun doch durch ein Gottesurteil entscheiden lassen, welches sein rechtmäßiger Sohn und Erbe sei. Des anderen beabsichtigte er sich dabei elegant zu entledigen. Während die Zwillinge im Laufställchen spielten, ließ er eine Schlange hinein. Iphikles brachte vor Schreck nicht einmal einen Ton hervor. Herakles aber biß so eifrig auf seinen Schnuller, daß der zu quietschen anfing, und zwar rhythmisch, so daß die Schlange den Kopf hob und zu tanzen begann.

Der arme Amphitryon zweifelte nun nicht länger, wer sein Sohn war: Iphikles. Vor dem kleinen Herakles aber hatte er fortan gewaltigen Respekt und streute die Nachricht aus, der frühreife Schlangenbändiger sei zweifellos ein Gotteskind, vermutlich ein Sohn des Hermes, in dessen göttlicher Verkörperung als *Psychagoge* – das ist: Seelenverführer –, nämlich: *Hermes Logios*, Urbild aller späteren Rhetoren und Sophisten. Alkmene aber erklärte höhnisch: Wenn schon ein Gotteskind, dann bitte gleich von Zeus.

Schon frühzeitig zeigte sich der kleine Herakles äußerst neugierig, anstellig und gelehrig. Von einem gewissen Rhadamantys, einem Gaukler im Basar, lernte er Zauberkunststücke, Astrologie und Zähne ziehen. Ein altgedienter Feldwebel mit Namen Kastor brachte ihm das Kämpfen in voller Rüstung bei, der Kentaur Chiron indes das Bogenschießen. Der Geigenspieler Linos lehrte ihn fiedeln und Leierspielen – Fertigkeiten, mit welchen er später unter dem Künstlernamen *Herakles Musagetos* aufgetreten ist.

Diesen zerstreuten Studien setzte Papa Amphitryon ein väterlich strenges Nein entgegen. Um den bummelnden Sohn zu einer Entscheidung zu zwingen, bestellte er ihn an einen Kreuzweg, wo zwei Damen warteten, die eine schön in Weiß als Tugend verkleidet, von bescheiden würdevollem Auftreten; die andere äußerst kess, in durchsichtigem Minirock, von freiem, Wollust verheißenden Blick. Der inzwischen kräftig aufgeschossene junge Mann zögerte nicht einen Augenblick mit der Entscheidung, hakte beide Damen unter und zog mit ihnen querfeldein zu einem lauschigen Hain, wo er, indem er die beiden Schönen mit seinen eigenen besonderen Qualitäten vertraut machte, auch ihre Standpunkte einander näherbrachte.

Während der jugendliche Heros den Argumenten mal der einen, mal der andern lauschte, fällte er einen kleinen Ölbaum und schnitzte sich daraus eine Keule. Sie hatte gleich die wunderbare Eigenschaft, Wurzeln zu schlagen, wenn er sie auf den Boden setzte, beziehungsweise in Gezweige auszusprossen, wenn Regen fiel. Herakles gilt also auch als der Erfinder des Feldstuhls und des Regenschirms. Der Hain, in welchem er so gründlich zwischen Tugend und Wollust schwankte, bis beide sich zufrieden nach Hause begaben, galt fürderhin als heilig, ein sogenanntes *Temenos*, und wird heute noch bei Bunikadrakului gegen geringen Bakschisch gezeigt.

Einmal mit dieser Art von Heldenarbeit befaßt, ging Herakles aufs Ganze und schwängerte in einer Nacht anläßlich eines Besuches beim König Thespius dessen fünfzig Töchter, mit einem Gesamtergebnis von zweiundfünfzig fetten kleinen Herakliden. Seither bedient in Maghrebinien die pharmazeutische Industrie sich seines Bildes. Ein sexuelles Kräftigungsmittel empfiehlt sich mit dem Werbeslogan: «Sagenhaft!», die rote Packung zu drei Lewonzen achtzig.

Papa Amphitryon, indes, wußte keinen anderen Ausweg, als sein göttliches Kuckucksei zu verheiraten. Als angemessene Partie bot sich Megara an, die Tochter des Königs Kreon von Orchomenos. Bedauerlicherweise erhob aber auch ein gewisser Erginos Anspruch auf den Thron von Orchomenos. Er fing den von Amphitryon zu Kreon ausgeschickten Schaadchen – das ist: der Heiratsvermittler – ab, schnitt ihm Ohren und Nase weg und schickte ihn verstümmelt zu Amphitryon zurück. So kam es zwischen Amphitryon und Erginos zum Krieg, in welchem glücklicherweise beide fielen. Herakles heiratete, dem letzten Wunsch seines irdischen Vaters entsprechend, die Tochter Kreons, Megara. Züchtig fragte ihn die junge Braut, vor wem sie künftig verschleiert aufzutreten habe und vor wem sie sich unverschleiert zeigen dürfe. «Zeige dich», so erwiderte großmütig der Bräutigam, «vor allen andern unverschleiert und verschleiere dich, bitte, vor mir.» Er zeugte dennoch – sozusagen verdrossen vor sich hin – mit Megara ein paar Kinder, schlug sie dann eines Tages alle tot, Megara dazu.

Zur Buße für diese Untat im Familienkreise trug ihm König Eurystheus, der damals das maghrebinische Imperium beherrschte, zwölf Arbeiten auf, deren sich der Held auf folgende Weise entledigte:

1. Die Tötung des nemäischen Löwen:

Die Bestie wütete unter den Herden von Argolis. Herakles schoß ein paar Pfeile auf das Raubtier ab, aber der Balg des Löwen war undurchdringlich. Also lockte ihn der Heros mit Spratts Löwenkuchen in ein starkes Netz und ließ ihn darin verhungern. Den Balg zog er ihm ab und trug ihn seither als kugelsichere Jacke, das Haupt des Löwen als Kapuze über seine Stirn gezogen.

2. Die Überwindung der lernäischen Hydra:

Sie war eine vielköpfige Sumpfschlange im Gebiet von Argos und fraß Menschenfleisch. Herakles nagelte eine Mädchenbrust – für Schlangen ein wahrer Leckerbissen – an seine Keule und fuchtelte damit vor den zuschnappenden Köpfen der Hydra so geschickt herum, daß sich die Hälse ineinander verknoteten und schließlich in verzweifelt heftigen Befreiungsversuchen sich gegenseitig erwürgten. Die Haut der Hydra schenkte Herakles der Feuerwehr von Metropolsk und wird seither von ihr als Schutzpatron verehrt, gleichsam ein maghrebinischer Sankt Florian.

3. Die Erlegung des erymantheischen Keilers:

Das Wildschwein stieß vom Trymanthusgebirge [zwischen Arkadien und Archaia] verwüstend in die Felder von Psophis vor. Herakles regte bei der Forstverwaltung eine großzügige Mästkampagne für Schwarzwild an. Der Keiler wurde fett und zahm. Mit einem blauen Schleifchen um den Hals brachte ihn Herakles zu König Eurystheus, der darüber so erschrak, daß er sich in einen Weinkrug verkroch.

Unterwegs zu Eurystheus hatte übrigens der Held die Kentauren aufgesucht und sich mit ihnen arg bezecht. Heimlich band er ihnen Disteln an die Roßhaarschweife. Wenn sie nun unwillkürlich damit nach dem lästigen Fliegengeschmeiß peitschten, stachen sie sich arg und stoben in alle Winde davon. Seither gibt es das Sprichwort: *Entweder du hältst dir ein gutes Pferd oder eine gute Peitsche.*

4. Die Ausrottung der stymphalischen Vögel:

Es war dies ein äußerst zudringliches, menschenfressendes Geflügel mit erzenen Krallen und Schnäbeln, welches in so dichten Schwärmen über Arkadien auftrat, daß sich der Tag verdunkelte. Herakles engagierte sieben Musikzüge der wilhelminischen Armee mit Schellenbäumen und verdreifachten Tschinellen und ließ sie, Marschmusik tosend, über die Gefilde von Stymphalos marschieren. Die Vögel flüchteten auf Nimmerwiedersehen.

5. Der Fang der cerynthischen Hinde:

Diese Hirschkuh hatte – wohl infolge eines Überschusses an männlichen Hormonen – ein goldenes Geweih geschoben und eherne Schalen – das sind, waidmännisch ausgedrückt: die Hufe – angesetzt. Da sie der Artemis geweiht war, durfte sie nicht erlegt werden. Herakles ließ allüberall im cerynthischen Gebirge Plakate für Sekt- und Rasierwassermarken aufstellen, auf welchen für gewöhnlich Parforcejagdszenen zu sehen sind. In begreiflicher nervöser Reizung stürzte sich das Rotwild in die Fluten des Ladon, wo Herakles es halb ersoffen fing.

6. Die Reinigung des Augiasstalles:

Die Tiefstallanlage des Königs Augias beherbergte dreitausend Rinder und war, infolge eines Mangels an guten Schweizern, dreißig Jahre lang nicht gesäubert worden. Herakles importierte eine Kolonie kanadischer Biber, die, von den Kabiren [den griechischen Heinzelmännchen] überwacht, den Fluß Alphaios umleiteten und durch die Stallung laufen ließen. Erst nachdem er längere Zeit einen schwungvollen Handel mit Düngemitteln betrieben und den Gewinn mit einigen Kumpanen wie Orpheus, Kadmos [dem Bruder der Europa und Gründer Thebens], Kastor und Pollux und anderen jungen Leuten von zwiespältigem Ruf bei orgienhaften Saufereien verjuxt hatte, kehrte Herakles von diesem Abenteuer heim. Die Saufgelage von Samothrake wurden zur bleibenden Einrichtung und erlangten schließlich durch Exklusivität den Charakter des Mysterienkults. Zu den Eingeweihten gehörten später Odysseus und Agamemnon, als ein Spätling sogar noch Philipp von Mazedonien, der Vater Alexanders des Großen, der in der Geschichte Maghrebiniens eine so bedeutende Rolle spielt.

7. Die Bezwingung des kretischen Stiers:

Der Bulle des Königs Minos von Kreta war wild geworden, nachdem er sich an Königin Pasiphae sittlich vergangen hatte – nicht gänzlich ohne deren Einverständnis, nebenbei. Herakles erfuhr von dieser Perversion des Stiers und setzte sich unverzüglich mit dem Marlene-Lakapene-Institut zu Metropolsk ins Einvernehmen. Dieses vermittelte einer Gruppe stämmiger skandinavischer Urlauberinnen einen vierwöchigen Ferienaufenthalt auf Kreta. Zu Saisonschluß war der Bulle so erschöpft, daß Herakles ihn streckenweise tragen mußte, um ihn zu König Eurystheus zu schaffen.

8. Die Zähmung der Stuten des Diomedes:

Diomedes, ein Sohn des Ares, hatte seine feuerspeienden Stuten mit Menschenfleisch aufgezogen. Herakles brachte erst Diomedes selbst um, schnitt ihn in Stücke, die er einzeln an ein Seil band und an jeweils eine Stute verfütterte. Vor der ersten und hinter der letzten Stute knüpfte er einen Knoten in das Seil und führte so, ein Vorläufer Münchhausens, die aufgefädelten Tiere mühelos heim.

Als Nebenabenteuer dieses Ausflugs nach Thrazien wird erwähnt die Errettung der Alkestis aus einem leeren Brunnen, in dem ein paar Weinkrüge zur Kühlung lagen. Alkestis war die Gattin des Königs Admetus, der zu faul gewesen war, selbst in den Brunnenschacht zu steigen, um seinen Freund Herakles zu bewirten, und in guter maghrebinischer Tradition seiner Gattin diese Aufgabe übertragen hatte. Als sie längere Zeit nicht wieder hochkam, wurde Admetus unruhig. Herakles machte sich erbötig, nach ihr zu schauen. Auch er blieb länger unten, als Admetus lieb war. Aber die beiden kamen wieder hoch und erzählten, Herakles habe mit dem Herrn der Unterwelt um Alkestis ringen müssen, nur darum sei er so zerrauft.

9. Erzwingung des Gürtels der Hippolyte:

Hippolyte, von intimen Freundinnen auch Melanippe genannt, war eine Amazonenkönigin, die sich, wie es unter diesen Vorläufern der Suffragetten üblich war, die rechte Brust abgeschnitten hatte, um besser den Bogen spannen zu können. Herakles erfand für sie eine Brust-Prothese, die sie an- und ablegen konnte. Beglückt über dieses modische Hilfsmittel schenkte ihm die Amazone ihren Gürtel mit Wehrgehänge, den zu besitzen die Tochter des Eurystheus, Admete, sich in den Kopf gesetzt hatte.

10. Entführung der Rinder des Geryon:

Dieses war ein besonders schwieriges Abenteuer, da Geryon [nach Hesiod ein königlicher Viehzüchter in Erytheya im westlichen Iberien] ein Riese war und einen aus drei Mannsgestalten gebildeten Körper hatte. Er teilte sich in der Magengegend radspeichenartig und hatte sechs Beine und Füße und sechs Arme und Hände zur Verfügung von drei äußerst pfiffigen Köpfen. Harmonisch ausbalanciert wie seine Physis [er war Landesmeister im Radschlagen und sogar Weltmeister im Schuhplattler-Tanz und hatte bei Rastelli jonglieren gelernt] war auch sein Gemüt: verfiel einer seiner Köpfe auf krause Gedanken oder hatte Zahnweh, so heiterten ihn die beiden andern sogleich wieder auf. Herakles überwand dieses Monstrum der Perfektion durch psychologische Kriegführung. Zuerst spielte er ihm eine Veröffentlichung des Hippokrates über Mißgeburten in die Hand. Neugierig vertieften sich die drei Köpfe Geryons in die eigentlich nur Fachmedizinern zugängliche Schrift, um bald herauszufinden, daß sie keineswegs zu dem am besten ausgestatteten Sterblichen gehörten. Denn nach den letzten Forschungen des Hippokrates wurde Geryon an Monstrosität von der Gattung der Hekatoncheiren – das ist: den Hunderthändern – bei weitem übertroffen. Geryon empfand sich fortan als unvollkommen, sozusagen als Conterganriese. Alle seine drei Köpfe verfielen in grübelnden Trübsinn, kriegten Wutanfälle oder brachen in hysterisches Gelächter aus, um unvermittelt wieder zu schweigen. Jetzt trat Herakles auf den Plan und brachte Geryon zur Aufheiterung das Knobelspiel bei, stiftete einen wertvollen Pokal als Preis und ließ die drei Köpfe Geryons gegeneinander knobeln. In ihrer ohnehin gereizten Stimmung gerieten sie bald miteinander in Streit, gingen sich gegenseitig an den Kragen und drehten sich diese mittels der sechs Hände um.

Eine weitere Schwierigkeit aber stellte sich Herakles in einem zweiköpfigen Wachhund namens Orthus [von Typhon aus der Echidna] entgegen. Um ihn loszuwerden, hatte der Held vorarbeitend zwei Hündinnen darauf abgerichtet, in entgegengesetzte Richtungen auseinanderzurennen, wenn man sie zusammenbrachte. Diese beiden führte Herakles vor Orthus und ließ sie frei. Sie stoben wie erwartet auseinander. Die Nasen des Orthus aber flogen ihnen in entgegengesetzter Richtung nach und rissen den armen Hund entzwei.

Es stand nun der Überführung des Rindviehs [einer hochwertigen roten Herdbuchherde von verhältnismäßig niedriger Milchproduktion, dafür um so höherem Fettgehalt der Milch] in die dank Herakles ohnehin schon überaus reichhaltig beschickte Menagerie des Königs Eurystheus nichts weiter im Wege, außer ein paar Söhnen des Poseidon, die einige Exemplare stehlen wollten, aber rechtzeitig von der maghrebinischen Gendarmerie verhaftet wurden. Eine einzelne Kuh machte sich selbständig und verlief sich nach Sizilien zu König Erichtrix von Elymanen, der sie erst wieder herausgab, als Herakles ihm die Nase eingeboxt hatte. In Thrazien hatte der Transport vorübergehend unter einem Überfall von Stechfliegen zu leiden, die Hera ausgeschickt hatte, um Herakles zu ärgern. *Ein allzu eifriger Heiliger mißfällt selbst Gott*, heißt es im Sprichwort. Eine gute Dosis Fly-Tox beseitigte die lästigen Insekten.

Als Herakles endlich mit der Herde bei König Eurystheus ankam, erklärte Seine Majestät, es bestehe Gefahr, daß durch eine Überproduktion von hochvollwertiger Fettmilch die eben anlaufende Margarine-Industrie geschädigt werden könnte. Das Rindvieh [nämlich die so mühselig eingebrachte Herde des Geryon] wurde der Göttin Hera geopfert. Seither heißt es in Maghrebinien: *Schenkt dir der Staat ein Pfund Butter, so nimmt er dir dafür die Kuh.*

11. Raub der Äpfel der Hesperiden:

In einem Schrebergarten am Ende der Welt hatten die Hesperiden goldene Äpfel gezogen, nach denen es König Eurystheus gelüstete. Herakles unternahm die umständliche Reise. Unterwegs, anläßlich der Überquerung des Kaukasus, kam er bei Prometheus vorbei, der dort schon seit längerem [man spricht von 30 000 Jahren] angeschmiedet war. Prometheus, vermutlich der Schrulligste unter den Titanen, hatte die Götter durch seine leidenschaftliche *Do it yourself*-Bastelei erbost. Aus Schlamm bildete er ihnen den Menschen nach, ein nicht einschränkungslos gelungenes Erzeugnis, das aber bei der blaustrümpfigen Göttin Athene wegen seines *Pop*-Charakters auf Interesse stieß. Als Prometheus ihr gestand, er wäre gern in den Himmel gekommen, um dort nach fehlenden Ersatzteilen zu stöbern, verschaffte sie ihm Zugang. Bei der Gelegenheit stibitzte Prometheus ein wenig Feuer vom Sonnenwagen, versteckte es in einem Peitschenstiel und brachte es seinen merkwürdigen Kreaturen als eine Art Mündigkeitsgeschenk.

Das war nun aber den Olympiern denn doch zuviel. Sie schmiedeten Prometheus an den Kaukasus und schickten ihm täglich einen Adler, der seine Leber fraß. Herakles setzte am Fuß des Felsens ein kleines Reisigfeuer an und begann nach einem Rezept von Mutti Alkmene *Kokoretzi* – das ist: maghrebinische Bratleberwurst – zuzubereiten, nämlich: eine halbe Oka-Hammelleber, eine kleine Schale Olivenöl, eine Handvoll Parmesankäse, drei Knoblauchzehen, drei Eidotter, reichlich wilden Majoran, Pfeffer, Salz, gut zum Teig verknetet, zu einer Wurst geformt, auf den Spieß gesteckt und über mildem Feuer geröstet. Dem anfliegenden Adler, der dreißigtausend Jahre nur rohe Leber geatzt hatte, stieg der Geruch der *Kokoretzi* so lieblich entgegen, daß er gierig niederstieß und sich dabei auf den Bratspieß fädelte. Herakles steckte etwas Speck, eine halbe Tomate und eine Zwiebelscheibe nach und briet den Adler. Er gilt seither als Erfinder des *Schaschliks.*

Sodann befreite er Prometheus, der ihm zum Dank ein Taschenfeuerzeug bastelte. Auch gab er ihm den Rat, sich wegen der Hesperidenäpfel an den Vater der jungen Damen, den Himmelsträger Atlas, zu wenden.

Herakles suchte Atlas auf, der ihm zusagte, die Äpfel von seinen Töchtern zu holen, wenn Herakles unterdessen den Himmel halten wolle. Herakles entsann sich des maghrebinischen Sprichworts: *Ein Dattelkern stützt manchmal einen großen Krug*, schob ein paar Kieselsteine unter die Kanten des Himmelsgewölbes und lud es sich mühelos auf die Schultern. Er gilt seither als Schutzpatron der Hamals – das ist: der Lastträger.

Atlas holte die Äpfel von seinen Töchtern und sah, als er damit wiederkam, Herakles so wenig angegriffen unter der Last des Himmelsgewölbes stehen, daß ihm der Gedanke kam, es auf den Schultern dieses wohlgelaunten jungen Mannes ruhen zu lassen. Ihn, Atlas selbst, hatte das ewige Gestemme doch recht verdrossen. Er sehnte sich danach, endlich nach Graz in Pension zu gehen. Er äußerte sich auch in diesem Sinne zu Herakles. Der aber war nicht auf den Kopf gefallen. Augenzwinkernd verriet er dem Atlas sein Geheimnis von den abstützenden Kieselsteinen, und als Atlas sich bückte, um sie genauer in Augenschein zu nehmen, schnippte Herakles sie mit der Fußspitze fort und ließ den Himmel auf die Schultern des Atlas zurückkippen. Sodann nahm er die Äpfel, bedankte sich flüchtig und zog heimwärts zu König Eurystheus.

Auch diesmal ging die Heimfahrt nicht ohne lästige Verzögerung vonstatten. Ein Bandit mit Namen Anthäus zwang Herakles zum Ringkampf und erwies sich als bevorteilt durch ein ganz außerordentliches Standvermögen, so daß sich die Auffassung verbreitet hatte, er werde von seiner Mutter Gaja, der Erde, mit zusätzlicher Kraft versorgt. Als aber Herakles ihm heftig auf die Zehen trat, hüpfte er jaulend auf einem Bein herum, und Herakles konnte ihn umwerfen.

Heimgekehrt, mußte unser Heros neuerlich den tiefen Sinn seiner Unternehmungen erfahren: König Eurystheus opferte die goldenen Äpfel vom Ende der Welt der Göttin Athene, die sie prompt wieder den Hesperiden zurückgab.

12. Aufholung des Hundes Cerberos aus der Unterwelt:

Auch Cerberos, der Wachhund des Königs Hades von der Unterwelt, war eine mehrköpfige Bestie, die zu sehen und wenn möglich zu besitzen König Eurystheus verlangte. Herakles setzte sich über die Hermespriester mit Hades ins Einvernehmen. Gegen Abtretung einer Seele erklärte Hades sich bereit, seinen Wachhund für längere Zeit einzusperren und durchblicken zu lassen, der Köter sei von Herakles entführt worden. Inzwischen bestellte Herakles im Institut des Professors Pawlow in Moskau einen zweiköpfigen Hund, den er König Eurystheus zeigte. Weil angeblich große Unordnung nicht nur in der Unterwelt entstehen würde, wenn sie ohne Wachhund bleiben sollte, schickte man das Monstrum schnellstens wieder dorthin zurück. Der synthetische Cerberos ging wieder nach Moskau und diente als Versuchstier der wissenschaftlichen Untermauerung des Marxismus. König Hades seinerseits konnte den echten wieder freilassen.

Die versprochene Seele verschaffte Herakles dem König der Unterwelt, indem er seinen Zechkumpan Theseus beschwatzte, gemeinsam mit dem dümmlichen Peirithous eine Hadesfahrt zu unternehmen. Im letzten Augenblick hielt Herakles den Theseus zurück. Peirithous unternahm die Fahrt allein und ward nicht mehr gesehen.

Nach der ursprünglichen Abmachung wären damit die Aufgaben des Herakles gelöst und er von weiterer Buße für den Familienmord freigesprochen gewesen. Aber der Held geriet wegen einer gewissen Jole mit deren Familie in Streitigkeiten und brachte den Bruder Joles, Iphitus, um. Dafür wurde ihm ein weiteres Jahr der Sühne aufgebrummt, das er äußerst komfortabel, Wolle spinnend, bei einer reichen Witwe namens Omphale verbrachte.

Eine andere Weibergeschichte jedoch nahm ein schlimmes Ende. Herakles hatte sich schließlich mit Deianeira, der Tochter des Königs Oineus von Kalydon, verheiratet, war aber weiter hinter Jole her. Ein Kentaur namens Nessos, der seinerseits schmutzige Absichten hegte, machte sich in der Zwischenzeit an Deianeira heran. Herakles, seinem Namen als Wahrer des eigenen ehelichen Herdes verpflichtet, schoß ihm einen Pfeil in den Leib. Sterbend gab der Kentaur Deianeira seine Litewka und sagte ihr, es sei daran ein unfehlbares Mittel, die Liebe des Herakles von Jole abzulenken. Sofort zwang Deianeira ihren Gatten, sein verklebtes Löwenfell abzulegen und die Litewka anzuziehen. Aber die Litewka war vergiftet. Herakles verstarb unter großen Qualen. Seither tragen die Maghrebinier den Kuschok – das ist: die Lammfelljacke – nur ungern mit dem Pelz nach innen.

MAGHREBINISCHE RÄTSEL

DIE PFERDE DER HOFFNUNG GALOPPIEREN – DIE ESEL DER ERFAHRUNG SCHREITEN BEDÄCHTIG.

Anmerkung der Herausgeber:

Die Zusammenstellung verdanken wir dem überragenden Folkloristen und Musikwissenschaftler James Fitzgerald Tartanoglu, Verfasser des bereits erwähnten Werkes «Katschjula und Dudelsack». James Fitzgerald Tartanoglu [der Name ist angenommen; bürgerlicher Name: Konstantin Suk] ist Führer der maghrebinischen Pfadfinderbewegung «Viatza Pojaneaska», ihr angeschlossen die Maidenvereinigung «Floarele Kodrului», und leitet die staatlichen Handwebereien «Schmattjes Drankis» von Dsaljestschikij, deren Produkte im Kioskverkauf an Touristen eine der Haupteinnahmequellen der Staatskasse bilden; verdient gemacht hat sich der rüstige Wanderer und Zelter auch mit der Erfindung eines handlichen Darmrohrs für Frischquellenspülungen.

Was ist es? –:

Ein Pope mit einem Finger im Hintern?
[Olive mit Stiel]

Eine Alte gebiert schöne Bräute?
[Der Backofen]

Den ganzen Tag frißt es Fleisch,
die ganze Nacht sitzt es mit offenem Maul?
[Die Opanke]

Klein wie eine Nuß, aber ein Gehirn wie ein Kadi?
[Die Taschenuhr]

Die Schwester faßt den Bruder an der Kehle?
[Knopfloch und Knopf]

Ein Mohr mit dem Arm in der Seite?
[Der Kaffeetopf]

Frißt Hagel und scheißt Schnee?
[Die Mühle]

Weicher als Quark und schärfer als das Schwert?
[Das Hirn]

Die Hand faßt es, die Kiste faßt es nicht?
[Die Fahne]

Sie scheißt, wenn sie schreit?
[Die Flinte]

Fünf Schwestern spielen Fangen und kriegen einander nicht?
[Die Stricknadeln]

Alles, was in der Welt gesprochen wird, schlüpft in ein Loch?

[Das Ohr]

Zehn ziehen, vier pissen?

[Das Melken]

Sie essen und essen und haben keinen Hintern?

[Die Augen]

Der Bratspieß von Fleisch, das Fleisch aus Eisen?

[Der Ring am Finger]

Zigeunereingeweide, zum Räuchern aufgehängt?

[Die Kesselkette]

Lebendig, aber versilbert?

[Der Fisch]

Hintern auf den Kopf?

[Sich auf einen Stein setzen]

Wenn du es ziehst, wird es leer, wenn du es setzt, wird es voll?

[Der Hut]

Zwei Pfeile mit schwarzen Federn gelangen stets ans Ziel?

[Der Blick]

Der Hahn wird gerupft, der Affe dreht sich?

[Rocken und Spindel]

Zwei Brüder halten Feuer in den Händen und verbrennen sich nicht?

[Die Feuerzange]

Holz ringsum, Fleisch in der Mitte?

[Die Wiege, der Sarg]

MAGHREBINISCHES MITTELALTER – VERFASST VON ARCHIV-RAT SEMJON WLACH – DIREKTOR DER MAGHREBINISCHEN STAATSBIBLIOTHEK ZU METROPOLSK – EHEMALS KÖNIGLICHE HOFBIBLIOTHEK DER KARAKRIMINALOWITSCH.

Zur Person des Autors:

Der Mann ist Beamter. Nicke mit dem Kopf und nimm dein Gehalt. Wenn der Klepper satt geworden ist, läßt er Winde.

DER LETOPISETZ MAMADRAKULUI – DIE FÜR DIE MAGHREBINISCHE GESCHICHTSSCHREIBUNG SO BEDEUTENDE CHRONIK DES SCHREIBERS SYPHONIUS APOLLINARIS – WELCHE BEHANDELT DIE ERSTEN HERRSCHER DER GLORREICHEN DYNASTIE DER KARAKRIMINALOWITSCH – INSBESONDERE LEBEN UND WIRKEN DES BEGRÜNDERS DIESES KÖNIGSHAUSES – NÄMLICH DES WOJWODEN PŘZIBISLAW – GENANNT: KŘZIWOUSTY – DAS IST: SCHIEFMAUL.

VON FERN HERGEHOLTER STAUB GILT ALS
EIN GUTES MITTEL FÜR DIE AUGEN.

DAS IN JEDER HINSICHT GROSSE UND UMFANGREICHE WERK DES Mönchs und überragenden Historiographen Syphonius Apollinaris, der Letopisetz Mamadrakului [so genannt nach dem Orte seiner Entstehung und jahrhundertelangen Aufbewahrung, dem Kloster Mamadrakului] ist in Cyrillika auf Pergament geschrieben und prachtvoll illuminiert. Von seinem Verfasser wissen wir, daß er von hoher Abkunft war, mutmaßlich ein Mitglied der Familie Kantakukuruz oder der Pungaschij, möglicherweise – wiewohl mit geringerer Wahrscheinlichkeit – ein Siktirbey. Er war Abt von Mamadrakului in den Jahren 1495–1522.

Gelehrtheit, Frömmigkeit und Askese brachten Syphonius Apollinaris in den Geruch der Heiligkeit. Nach der maghrebinischen LEGENDA AUREA wurde er eines Nachts vom Teufel in Gestalt eines schönen jungen Mädchens besucht. Syphonius durchschaute sogleich das falsche Spiel des Bösen. Er gab sich galant, ging nicht gleich aufs Ganze, sondern unterhielt die junge Dame mit Rätseln: «Welche», so fragte er zum Beispiel, «ist des Menschen ureigenste Eigenschaft?» – «Die Sünde», sagte die junge Schöne und lächelte verlockend. Unbeirrt fragte Syphonius weiter: «Welches ist der Ort, nicht breiter als ein Spann, wo sich das größte aller Wunder vollzieht?» Das Mädchen blickte lächelnd in den Schoß, als wolle es nachdenken. Dann sagte es: «Des Menschen Kopf.» – «Die richtigere Antwort», sagte Syphonius streng, «wäre gewesen: das Kreuz.» Sodann fragte er: «Wo liegt die Schwelle zwischen Verdammnis und Seligkeit?» Die junge Dame zeigte auf sein schmales Bett. «Und wie weit», fragte der Abt, «ist es von dort zur Hölle?» Da erhob sich das Mädchen und sagte: «Ich weiß, wie weit es ist, und muß es dir zeigen.» Damit verwandelte es sich in den Teufel und fuhr zur Hölle nieder, der Abt aber auf zur Seligkeit.*

Was die von Syphonius Apollinaris verfaßte und zum größten Teil von seiner Hand geschriebene, später vermutlich diktierte Chronik, eben den besagten Letopisetz Mamadrakului, betrifft, so rankt sich dieser Bericht um eine überragende Zentralfigur, nämlich den Wojwoden Přzibislaw, später genannt Křziwousty – das ist: Schiefmaul –, den Begründer des erhabenen Königshauses der Karakriminalowitsch. Als Vater Nikephors des Großen, war er auch Begründer des maghrebinischen Imperiums. Eingehend wird behandelt der historische, für das Rechtswesen Maghrebiniens grundlegende Prozeß mit seinem Schwiegervater Chuzpaphoros Yataganides um dessen Tochter, die unvergleichlich schöne und bedeutende Prinzessin Irene, sowie über die Art und Weise wie er, nämlich der besagte Přzibislaw, zu seinem späteren Beinamen Křziwousty – das ist: Schiefmaul – gekommen ist. Es ist hier die vermutlich einzige Korrektur in dem sonst ungewöhnlich zuverlässigen historischen Report anzubringen.

Es heißt im Letopisetz Mamadrakului, Přzibislaw sei zu diesem Beinamen gekommen, als er, bereits an seiner Lebensneige, von den Staatsgeschäften, die er bis dahin mit Genie geführt, sich ganz zurückgezogen hatte. Ästhetischen Aufgaben hingegeben, nämlich dem Auf-

* Nach der volkstümlichen Version soll es dem frommen Abt gelungen sein, den Wunsch zur Seligkeit sogar im Teufel zu wecken. Seine Mönche, die durch das Schlüsselloch lugten, hätten, so heißt es, das Mädchen, im Bette kniend, mit erhobenen Armen gesehen, indem es ausrief: «O Himmel, ich komme!» Zum Glück habe der Abt Syphonius es von hinten festgehalten, so verhindernd, daß der Teufel in den Himmel komme.

bau eines griechischen Balletts nach der Choreographie des Pietro Aretino, habe er die Nachricht vom Tode seiner Gattin Irene empfangen, die ihrerseits ihren byzantinischen Zerstreuungen mit solchem Eifer nachgegangen sei, daß sie zur Feier ihres dreiundachtzigsten Geburtstags mit einem zyklamenblau gefärbten und goldstaubüberpuderten Straußenhahn als «Leda mit dem Schwan» aufgetreten war, ein robuster Flirt, den sie nicht lang überleben sollte. In der Tat bestätigt Sir Mortimer Dozbull-Puzzlefield, der sich in seiner brausköpfigen Jugend zeitweilig als eine Art von Schwager der unvergleichlichen Irene betrachten durfte, daß die durch solches erotisches Großwild gestellten physischen Anforderungen beträchtlich sind.

Bei der Nachricht von Irenes Hinscheiden, so berichtet der Chronist, habe nun Přzibislaw lediglich in einer *Tifla* – das ist: eine verächtliche Grimasse – das Gesicht verzogen, dies jedoch so heftig, daß dieser Ausdruck fortan niemals mehr von seinen Lippen wich, was ihm eben den Beinamen Křziwousty – das ist: Schiefmaul – eingetragen habe.

Neueste historische Forschung aber hat ergeben, daß Přzibislaw den Beinamen «Schiefmaul» schon vor dem Hinscheiden seiner ebenso bedeutenden wie schönen Gattin geführt, und es erscheint auch ungereimt, daß ein in hohem Alter erst erlangter Gesichtsausdruck Anlaß gegeben haben sollte zu einem Namen, der einem Fürsten kennzeichnend und unterscheidend unter hervorragenden Seinesgleichen für immer beigegeben wird. Es ist vielmehr anzunehmen, der Beiname Křziwousty – das ist: Schiefmaul – für den Wojwoden Přzibislaw Karakriminalowitsch gehe auf eine einem Herrscher seines Ranges angemessenere Begründung zurück.

Eine der möglichen Hypothesen lautet: Ein jeder Teilfürst des maghrebinischen Großraumes, dem es gelungen war, Herrschaft über ein paar Nachbarvölker zu erringen und deren Fürsten unter sein Joch zu zwingen, berief sich auf irgendeine hohe Abkunft, die ihn

angeblich dazu legitimierte. Der Wojwode Přzibislaw, ebenso gerissen wie rücksichtslos, ebenso einfallsreich wie umsichtsvoll, machtgierig wie energisch, hatte die Petschenegen aus den Baumkronen der transherzynischen Wälder geschüttelt und sie neben den Bastarnern, Jazabeken, Semljaken, Tschjuschen, Huzulen und Walachen zusamt den kriegerischen Schizoauditen unter sein Gebot gebracht. Er war damit der erste Herrscher über ein geeintes Kernmaghrebinien. So war denn auch die erste seiner Maßnahmen, sich mit byzantinischer Genehmigung zum Archonten von Manipulien zu ernennen und, auf einen schlauen Rat Irenens, seine Abkunft von Alexander dem Großen nachzuweisen.

Es genoß nämlich der glorreiche Mazedonier in Maghrebinien fast göttliche Verehrung. Heute noch lebt er in der Volkssage als Megalexandros, beziehungsweise als der Weltherr Iskender fort. In jener unruhigen Frühzeit glaubt man erst recht in ihm den verschwundenen, aber eines Tages wiederkehrenden Messias des irdischen Reichs zu erblicken.

Auf Rat seiner politisch hervorragenden Gattin Irene glich nun Přzibislaw, um seine leibliche Abkunft von Alexander nachzuweisen, so gut es ging auch sein Äußeres dem gewaltigen Welteroberer an. Das heißt: Er kleidete sich fortan mit Vorliebe in das Fell eines Berglöwen oder auch Luchses; er zog, wie übrigens auch Herakles, dessen grimmig faltiges Haupt mit den gefletschten Fangzähnen über Schädel und Stirn und bemühte sich, die schiefe Kopfhaltung Alexanders anzunehmen.

Dabei – so lautet die Hypothese Dr. Dr. Heyerlis – soll der Wojwode sich doch gelegentlich vergessen und den Kopf geradegehalten haben. Jedesmal aber dürfte ihm seine in Staatsgeschäften sehr erfahrene, ja geniale Gattin Irene durch einen unwilligen Wink darauf aufmerksam gemacht haben. Schließlich habe er lediglich mit einem nervösen Verziehen des Mundes reagiert, das zur ständigen Gewohnheit wurde.

Wiewohl diese Auffassung zwischen der Chronik des Syphonius Apollinaris und neueren Forschungsergebnissen [nämlich der

Tatsache, daß Přzibislaw schon vor der Nachricht vom Tode Irenes das Maul in einer *Tifla* – das ist: eine verächtliche Grimasse – schiefgezogen habe] einen gewissen Ausgleich schafft, befriedigt sie nicht vollständig. Es sind sogar Stimmen laut geworden, die Dr. Dr. Heyerli deshalb antimaghrebinischer Umtriebe bezichtigten.*

In der Tat, wer den eisernen Charakter des Begründers der Dynastie der Karakriminalowitsch aus unverfälschten historischen Quellen kennt, wird es für unmöglich halten, daß dieser ebenso pflichtbewußte wie willensstarke Mann sich in einer reichspolitisch so entscheidenden Gebärde wie der Schiefhaltung des Kopfes nach dem Vorbild Alexanders des Großen auch nur für einen Augenblick hätte vergessen haben können. Eine vom Ministerium für Tourismus, Volksaufklärung und Hygiene eingesetzte Kommission von maghrebinischen Historikern hat darum eine neue, befriedigendere Lösung erarbeitet:

Wie allgemein bekannt, war Přzibislaw ein starker Trinker. Die jahrzehntelange Gewohnheit, sich den Nationalschnaps der Maghrebinier, die wonnige Tzuika, humpenweise einzugießen, muß zur Ausbildung einer automatischen Bewegung geführt haben. Als nun der Wojwode Přzibislaw in seiner Eigenschaft als Archont von Manipulien die Nachricht von seiner [und seiner Sippe] Abstammung vom Welteroberer Iskender auszustreuen und durch Schiefhaltung seines Kopfes nachzuweisen begann, goß er begreiflicherweise die Tzuika an seinem bis dahin geradegehaltenen Kopf vorbei. Mit an Sicherheit grenzender Wahrscheinlichkeit ist anzunehmen, daß er reflexhaft das Maul schiefgehalten habe, um trotzdem die Tzuika aufzufangen. Zieht man den Konsum des Přzibislaw an Tzuika in Betracht, so erklärt dies eine fast ständige Schiefhaltung des Maules, die sehr wohl zu dem Beinamen «Křziwousty» geführt haben kann.

Die vom Ministerium für Tourismus, Volksaufklärung und Hygiene eingesetzte Kommission hervorragender Historiker hat sich

* Siehe Sir Mortimer Dozbull-Puzzlefields Artikel in der «*Weckuhr*»: «Es gibt uns mit dem Löffel zu essen und stößt uns mit dem Stiel das Auge aus.»

begreiflicherweise nicht allein auf eine Untersuchung dieser Einzelheit des Letopisetz Mamadrakului beschränkt. Denn wiewohl der Chronist mit Recht, das heißt: der historischen Bedeutung für das spätere Maghrebinien entsprechend, die Figur des Wojwoden Přzibislaw in den Mittelpunkt seines Werkes stellt, so versäumt er als gewissenhafter Historiograph doch nicht, die Geschehnisse bis zu ihren mutmaßlichen Ursprüngen zurückzuführen und ihre Auswirkungen zu verfolgen.

Der Letopisetz Mamadrakului gibt also in gewaltigem Bogen Überblick von der Frühzeit der Skordophagen bis zu den maghrebinischen Herrschern des fünfzehnten und sechzehnten Jahrhunderts. Was die Kommission aus den Begebenheiten dieser mehr als anderthalb Jahrtausende umfassenden Geschichtsepoche als besonders bedeutungsvoll für die historische Entwicklung Maghrebiniens neu belichtet hat, ist:

a] Die in die Herrschaft Nikephors des Ersten, Großen, fallende Erfindung des Partisanenkrieges anläßlich der vermiedenen Schlacht von Tripala.

b] Der von Nikolaschka dem Blutigen verfochtene Anspruch Maghrebiniens auf Seegeltung.

Beim einen sowohl wie auch beim anderen handelt es sich um Abschnitte, die infolge des sehr heiklen Zustands des Manuskripts bislang nicht sorgfältig eingesehen werden konnten, also auch weiteren Kreisen noch nicht zugänglich gemacht worden sind. Ihr hochinteressanter Inhalt ist jedoch dem Bildungsbeflissenen auszugsweise in den Veröffentlichungen der Nassr-ed-Din-Hodscha-Universität für Völkerfreundschaft und Okzidentalistik zugänglich gemacht.

CHRISTLICHES MAGHREBINIEN – VERFASST VON KLAUSJÖRG THEESENIETER JUN. †

Zur Person des Autors:

Klausjörg, der Sohn des großen Kirchenmannes, Orgelbauers und Oberhauptes der maghrebinischen Protestanten, Dompropst Theesenieter, ein Frühvollendeter, ist leider allzu jung von uns gegangen. Schon als Kind ein Aufprotzender, ja ein Rebell, dazu immer wieder vom unrastigen Bedürfnis nach Weltflucht gepackt, aufbrausend und verschlossen, wildschweifend und versunken träumerisch, verstörte er an der großen Bildungsanstalt von Metropolsk, dem Lyzeum Aron Pumnul – das ist: Faust – Lehrer sowohl wie auch Klassenkameraden, indes stets Zeugnis ablegend von einer früh sich äußernden Genialität, die zu den allerschönsten, wenngleich bisweilen bangen Hoffnungen Anlaß gab. Der Pfadfinderbewegung «Viatza Pojaneaska» des James Fitzgerald Tartanoglu angehörig, gilt er als Erfinder eines ausgeklügelten *Hitch-hike*-Systems, demzufolge Autoreisende mittels quer über die Straße gefällten Bäumen zum Anhalten gebracht und mit vorgehaltenen Handwaffen zur Mitnahme ganzer Rotten gezwungen wurden, was einerseits die Wanderlust der maghrebinischen Halbwüchsigen ganz ungemein förderte, andererseits doch wieder eine gewisse Entartung des von Tartanoglu in stählender Absicht befürworteten Gedankens der Jugendbewegung zur Folge hatte, jedenfalls aber ihm, nämlich Klausjörg Theesenieter, die verhängnisvolle Freundschaft mit dem gleicherweise hochgenialen und frühvollendeten Akif Zadik Zade Siktirbey jun., dem Sohn des Akif Zadik Siktirbey vom Kunstschwein, einbrachte, welche vermutlich den Anstoß zu beider, nämlich des jungen Theesenieter sowohl wie auch des jungen Siktirbey, tragischem Ende gegeben haben dürfte. Gemeinsam mit Akif Zadik Zade Siktirbey jun. gründete Klausjörg Theesenieter die erste Yéyé-Band Maghrebiniens,

«The Shaggy Expellers», wandte sich dann, zum äußersten Kummer seines bedeutenden Vaters, Dompropst Theesenieter, dem Katholizismus und dem Marihuana zu und begann die erstaunliche Arbeit «Die rosa Epoche des Thomas von Aquin», die er jedoch nicht vollenden sollte. Kurz nach dem Freitod des siebzehnjährigen Freundes, nämlich des besagten Siktirbey, fiel Klausjörg, selbst knapp achtzehn Jahre alt, dem übermäßigen Genuß von Wodka, LSD-Tabletten, Absinth und Brauselimonade zum Opfer. Im Marlene-Lakapene-Institut ist ihm, als einem der jüngsten Stammkunden, ein Denkmal in Gestalt einer abstrakten Engelsfigur mit elektrischer Gitarre gesetzt. Die vorliegende Arbeit ist einem vom Lyzeum Aron Pumnul preisgekrönten Aufsatz entnommen und eines der schönsten Zeugnisse seiner ungewöhnlichen Frühbegabung. Sie wurde in das pflichtmäßige Lesebuch für die unteren Volksschulklassen aufgenommen.

DES HEILANDS LICHT KAM WUNDERSAM – LEGENDEN AUS DER ZEIT DER CHRISTIANISIERUNG MAGHREBINIENS.

GOTT HAT DEN NACKTEN DAS WASCHEN
MIT SEIFE ERSPART.

ÜBER DEM GEKLÜFT DER SCHLUCHT VON TRIPALA: DORT WO Maghrebiniens Schicksalsstrom, die blaue Halitza, jung noch und gletscherfrisch, sich schäumend ihren ungestümen Lauf durchs Urgestein gewaschen hat, es abgrundtief durchschneidend; wo der Adler aus der unbegrenzten Herrschaft seiner königlich gespannten Schwingen nach dem mutwilligen Steinbock äugt; das scheue Murmeltier, erschreckt von seinem hinhuschenden Schatten, schrill pfeifend pfeilschnell seinem Erdbau zuflitzt; dort, wo äußerst selten nur ein Tschjoban – das ist: ein Hammelhüter – sich versteigt, um ein vom Wolf versprengtes Lamm oder eine prallwadige Phillis oder Chloe zum Hirtenspiel zu suchen, zitternd, daß er dabei dem sagenhaften Räuberhauptmann Terente begegnen könnte; wo die letzte Wetterfichte, vom Blitz gespalten, ihren sturmzerzausten Wipfel zornig aus den Nebelschwaden schüttelt; dort, sage ich, erhebt sich, einen Felsstock krönend, die dunkle Trutzfeste Castrocaramba, das wilde Bergland weithin überblickend wie der Adler in den Lüften.

Wuchtig lastet ihr Luginsland auf dem alterszäh ins Gefelse eingewachsenen Grundgemäuer eines römischen Kastells, dem letzten, vorgeschobensten, das die Heerstraße in der Schlucht bewachen und Maghrebiniens Grenzen gegen Osten sperren sollte: den Osten, aus dem immer wieder, den Sturmstößen gleich, die alle Winde sonnenglastverbrannter Wüsten und eisiger Steppen zu wütender Gewalt zusammenfassen, Barbarenvölker hereingefahren kamen bis tief ins blühende Südland, sengend und mordend, von den Schreien der Geschändeten verfolgt, Meuchelgier im Schlitzauge, den Dolch im fletschenden Gebiß, höhnisch hinter dem Ohr unter der Zottelmütze die frischgeknickte Orangenblüte aus dem verwüsteten Hain.

Wie eine Lanzenspitze war dies Castellum gegen die ewig drohende Gefahr gerichtet, ein scharfdrohendes «Halt!», ein Ordnungsruf der Zivilisation, dem ungezügelten Barbarentum entgegengerufen. Wie aber sollte ein so fern vom Nervenzentrum des Imperiums ausgesprochenes Befehlswort, wie sollte eine Handvoll Legionäre das wehren, was der himmelhohe Wall des kimmerischen Gebirges nicht zu hemmen, was der schier undurchdringliche Gürtel der transherzynischen Wälder nicht abzudämmen vermocht hatten?! Campus longus, das nächste, vorgeschobenste Militärlager der Römer – in der naiven Hirtensprache zum heutigen Pimpalonga, der blühenden Provinzstadt, verballhornt –, liegt viele Tagesmärsche zurück. Ehe noch Alarm gegeben war, ehe die Reserven eintreffen konnten, war der letzte der tapferen Verteidiger, den Mongolenpfeil in der Kehle, röchelnd hingesunken. Die Bresche war geschlagen. Der Weg ins lockende Südland lag frei. Über das grobe Feldsteinpflaster der Heerstraße prasselten die Hufe der Steppenpferde wie ein Regensturz aus schweren Novemberwolken.

Dämmerung hing über Maghrebinien. Die Sonne brach nicht durch den Rauch schwelender Weiler, glosender Dörfer und blutigrot hinsinkender Städte. Asche trug der Wind zusamt dem Stöhnen der Geschundenen. Krähenschwärme stöberten wie schwarzes Geflocke über den Trümmern der ausgebrannten Paläste. Matt zuckten noch die nackten Frauenleiber, den toten Säugling an die zerrissene Brust gepreßt, als die Gepiden abgezogen waren, da kamen schon die Awaren. Denen folgten die Hunnen. Den Hunnen folgten die Westgoten, den Westgoten die Vandalen, den Vandalen die Madjaren.

Aber ein Lebenswille, zäh wie eine Rebenwurzel, hielt das Volk am Leben und an seiner Scholle fest. Zu überdauern war jedes Mittel recht. Die Kriegerischen marodierten mit den Kriegern. Die Räuberischen raubten mit den Räubern. Die Diebischen stahlen mit den Dieben. Die Friedfertigen aber verbargen sich. Im Erdbau hausten sie wie Murmeltiere, in Köhlerhütten oder in den Brandstätten der Häuser, verkrochen unter Laub und Reisig, die Lumpen der blankgescheuerten Lammfellmäntel mit einem Striemen Birkenrinde gegürtet, Fichtenharz in Haar und Bart – hätte Tolstoj sie sehen dürfen, ihm wären die Augen übergegangen.

Brach die Nacht ein, so wagten die Verstörten kaum, das trübe Talglicht anzuzünden. Scheu schirmten sie es mit den erdigen Händen ab. Leis aber kam die Kunde von einem andern Licht zu ihnen, und es glomm wundersam und war wie die Verheißung weihnachtlichen Kerzenschimmers.

Zwei feste Männer, Methodius und Kyrill, vom Berge Athos niedergestiegen, zögen, so hieß es, durch das verwüstete Land und kündeten wieder Ordnung. Trost floß von ihren Lippen. Zeichen brachten sie den Verschüchterten; Zeichen, die sich zusammensetzen ließen zum lesbaren Wort. Und dieses Wort war GOTTES Wort.

Und andere Zeichen gaben sie, die vom Himmel kamen und ohne Wort eindrangen ins Herz der Menschen. Sie kündeten, daß der

Messias, den die Juden erwarteten, gekommen und zum Heil aller andern Völker gestorben sei – leider mit Ausnahme eben der Juden.

Und ihrer Kunde war wunderbare Kraft verliehen. Denn siehe: Sie predigten auf dem Markte von Metropolis, dem heutigen Metropolsk, dessen schimmernde Säulen eingestürzt waren in die Keller, aus denen die Disteln wucherten, und es lauschten ihnen Huzulen und Semljaken, Pomaken, Jazygen, Petschenegen, Kutzohamalen, Spandoliker und Schizoauditen – und ein jeglicher von diesen allen verstand ein jedes ihrer Wörter; *denn jeder einzelne hörte sie in seiner Sprache*. Ja, ein gewisser Dr. Josselsohn, der Direktor der zerstörten Berlitz-School von Metropolsk, hörte sie sogar in Esperanto.

War das nicht ein Zeichen der Wunderkraft des Gottes, den sie priesen? Was hatten die alten Götzen dem gleichzusetzen?

War's nicht kürzlich erst geschehen, daß der wilde Häuptling der Huzulen, Dragutin Hippodromites [als Pferdevermieter an fußkranke Völkerwanderer hatte er es zu ungeheuerlichem Vermögen gebracht], Blutrache nehmen wollte an Skyluros, den Exarchen der Semljaken [der ein ähnliches Geschäft mit Maultieren betrieb], und daß er, nämlich Dragutin, sicherheitshalber das Orakel im Tempel des Baal Delaverus zu Bunikadrakului über das mutmaßliche Gelingen oder Mißlingen seiner Absicht befragt: Drei Pfeile durfte er ziehen mit der Bedeutung: «Tu's, es wird gelingen!», «Warte ab» und: «Gib auf, es wird mißlingen!», und dreimal zog er den Pfeil: «Gib auf!» – war es da nicht so wie gestern erst geschehen, daß der wilde Hippodromit dem Götzenbild die Pfeile ins furchtbare Antlitz geschleudert und den Baal Delaverus angeschrien hatte: «Ist es dein Geschäft, du Hurensohn, welches der Skyluros mit seinen Mauleseln ruiniert, oder ist es das meine? Was rätst du mir also, aufzugeben, wenn ich's ihm heimzahlen will?!» Und kein Blitzschlag hatte den Frevler auf der Stelle gefällt wie einen morschen Baum; keine Feuerschlange war aus dem Rachen des Götzen gefahren und hatte ihn zu Asche verzehrt?! Nein, er, Dragutin, war unangefochten hingegangen, hatte blutige Rache geübt an Skyluros, dem Exarchen der maultiertreibenden Semljaken, ihm die Haut abgezogen, sie mit dem Dung seiner Maulesel gefüllt und vor die Nase des Baal Delaverus gehängt. Und dieser Frevler lebte fürderhin in Freuden und hochgeehrt vom Monopol des Fußkrankentransports?! War das nicht augenfälliges Zeichen dafür, daß der alte Götze machtlos geworden war? Wo war seine Schrecklichkeit geblieben? Hatten die beiden Fremdlinge vom Berge Athos sie gebannt?

In der Tat: der Hohepriester des Baal stellte die Mönche Methodius und Kyrill vor dem versammelten Volke von Metropolis zur Rede. Spottend fiel er über sie her, Schmähworte ausstoßend über den armseligen Gott, den sie verkündeten: einen schändlich Gekreuzigten, der gehorsam die Füße übereinandergelegt, als ihm die Schindknechte zugerufen hatten, sie hätten leider nur mehr einen Nagel. So einer wage es, sich zu messen mit dem Großen Baal, dessen geheimer Name die Felsen zu sprengen und die Himmelspforten zu öffnen vermöchte?! Drohend rief der Hohepriester, er kenne diesen geheimen Namen, und würde er ihn aussprechen, so läge alsbald alles ringsherum zernichtet. Zur Probe, so drohte er, möge man ihm einen Hengst bringen, den feurigsten und stärksten im ganzen Lande: Er werde ihm den geheimen Namen seines Gottes ins Ohr flüstern und ihn damit fällen wie mit dem Streich einer Axt.

Da hoben Methodius und Kyrill ihre Stimmen in schönem Einklang wie Rosencrantz und Güldenstern und riefen wie aus einem Munde: «Und warum bist du selbst nicht tot umgefallen, als du den geheimen Namen vernommen hast?»

Auf dem Marktplatz von Metropolis aber wälzten sich die Kamele vor Lachen über den überführten Hohenpriester des Baal Delaverus.

So ging die Kunde und verbreitete sich unter dem aufstaunenden Volk und mehrte sich um immer neue Wunder. Da hieß es: Als die beiden Gottesmänner durch den weglosen Forst der transherzynischen Waldberge gezogen waren, hatten Ziegen und Feen sie mit ihrer Milch ernährt [und schon das Wunder, eine Fee zu melken, erstaunte jedermann, der davon hörte]. Es überfiel die Glaubensverkünder aber der sagenhafte Räuber Terentus, ein entsprungener

Sklave und Faustkämpfer, und nahm ihnen ihren Schnappsack mit den Milchnäpfchen ab. In diesen aber hatten mildtätige Menschen auch ein knusperiges Wiener Backhuhn mit frischer Petersilie gelegt. Als nun der wilde Räuber den Leckerbissen hohnlachend zwischen seine starken Zähne schieben wollte, verwandelte sich das Huhn in eine Kröte und spritzte ihm ihren Geifer ins Gesicht. Terentus erblindete. Seine Mörderhände faulten ab. Er bekehrte sich und wurde einer der frömmsten Eremiten, weithin im Lande beliebt für seine abendlichen Trommelmotetten, die er ohne Klöppel gottessehnsüchtig auf einem hohlen Baumstamm schlug. Nur abgefeimte Zungen behaupten, er schlüge darauf immer noch in blinder Wut über das entgangene Wiener Backhuhn ein.

Die beiden Gottesmänner aber, Methodius und Kyrill, gleichsam die Kessler-Zwillinge unter den großen Völkerbekehrern, drangen immer tiefer ein ins Herzland Maghrebiniens, und der Ruf von ihren Wundertaten lief ihnen voraus. Er erreichte auch den Hof des Massageten-Abkömmlings Harpagides III. von Klokutschka. Als nun die Missionare sich Klokutschka nahten, erwartete sie dieser Herrscher mit seinem ganzen Volk, begrüßte sie höhnisch und schlachtete vor ihnen sieben schöne Rosse zum Opfer für Baal Delaverus. Dann forderte er die Heilsverkünder auf, sich diesem Götzen zu unterwerfen. Zum Grausen aller aber begannen die abgeschlagenen Pferdeköpfe auf dem Pflaster des Tempels herumzurutschen, leckten das Opferblut auf und wieherten vernehmlich: «Halleluja!» Harpagides aber brach in die Knie und nahm die Taufe auf den Namen Kalojan an. Mit ihm bekehrte sich sein ganzes Volk.

So sehr war man in jenen Tagen in Maghrebinien auf Wunder vorbereitet, daß sich zum Beispiel das Folgende begab: Ein Mann ging in den Tempel, um zu beten. Da er einen Topf mit zwei geschmorten Tauben mit sich führte, stellte er ihn auf den Stufen des Tempels ab. Ein anderer Mann beobachtete das, fraß, während der erste betete, die Tauben auf und steckte dafür in den Topf zwei lebendige Tauben, die er ohne viel Mühe vor dem Tempel fing. Der erste hatte sein

Gebet beendet, kam zurück und nahm den Topf auf. Da er fühlte, daß sich darin etwas bewegte, hob er den Deckel ab. Die beiden Tauben flatterten heraus. «Ein Wunder!» schrie der Mann. «Ein Wunder! Wo aber ist die Soße geblieben?»

Auch wird erzählt von einem Juden, der im hohen Alter von dreiundachtzig Jahren eine Neunzehnjährige geheiratet hatte, die alsbald mit Zwillingen niederkam. Besorgt begab sich der Jude zum damaligen Wunderrabbi von Sandez, Rabbi Jossel Ölgießer, und fragte, ob der Rabbi meine, daß es sich um ein Wunder handeln könne. Nachdem der weise Rabbi längere Zeit geklärt – das ist: mit Schärfe nachgedacht – hatte, sprach er: «Ist es kein Wunder, so ist es ein Wunder. Ist es aber ein Wunder, so ist es kein Wunder.»

Kein Wunder also, daß der Weg der beiden Missionare gesäumt war von inbrünstig Bekehrten, die ihr bisheriges nutzloses Leben von sich warfen, um über den Dienst an Gott ein seliges zu gewinnen. Attrakta, die liebliche Tochter des Despoten Heraklones von Campostata, verschenkte sieben Eselkarren Schmuck und zwanzig Maultierlasten kostbarer Kleider an die Armen, gelobte Keuschheit und gab sich dem Herrn Jesus mit solcher Innigkeit, daß bald die Aura der Heiligen sie umfloß. Ihr Vater, der schäumende Despot, versprach sie zur Strafe als Gattin dem wilden Sarmatenhäuptling Gogolji von Molodia Derelui in den Sümpfen von Motschirla. Unterwegs zu diesem Heiden betete Attrakta zum HERRN, er möge ihr das Gesicht entstellen, um den unliebsamen Freier abzuschrecken. Und siehe: Wieder tat der HERR ein Wunder, und als Attrakta am morgenden Tag erwachte, war ihr über Nacht ein üppiger Bart gewachsen, der als «Bart der Kümmernis» in die Martyrologie eingehen sollte. Mit großer Zärtlichkeit lieben die Maghrebinier die Legende von der schönen Heiligen, und die Zuckerwatte, welche die fliegenden Händler auf den Jahrmärkten um ein paar geringe Para an die kleinen Naschmäulchen verkaufen, heißt noch heute «Jungfrauenbart».

Es geht auch die Legende, daß der Teufel in Gestalt eines schönen Jünglings zur heiligen Attrakta gekommen sei, um ihr arglistig einzureden, sie trage den christlichen Glauben zwischen ihren Brüsten. In den losen härenen Gewändern, die sie damals bevorzugte [es heißt, Attrakta habe sie aus Worpswede bezogen], sei indes der Glaube jeden Augenblick in Gefahr, abzurutschen und verlorenzugehen. Attrakta geriet darauf in Besessenheit, verweigerte die Nahrung, verschränkte die Arme unter den Brüsten und hielt sie krampfhaft fest, auch die geringste Bewegung verweigernd in der Angst, daß das Kostbarste, was sie besitze, ihr Glaube nämlich, dadurch ins Rutschen kommen und verlorengehen könne. Man fürchtete um ihr Leben.

Es war aber unter dem Volk des bekehrten Harpagides-Kalojan ein besonders frommer Mann erstanden, nämlich Panurgij der Eremit, genannt: der Haarige, später der große Gegenspieler des ersten Bischofs von Metropolis Schnorri Sturuson und dessen märtyrerhaftes Opfer. Eben dieser Panurgij hörte von Attraktas Besessenheit und flocht für sie aus zarten Gräsern einen geweihten Büstenhalter des Modells «Maidenform Spezial-triple-keck», den er ihr durch Vertrauensleute schickte. Die Schönheitsstütze hatte drei Wölbungen, von welchen die in der Mitte für den möglicherweise im Abrutschen begriffenen Glauben vorgesehen war. Attrakta legte das erhebende Flechtwerk an und war fortan befreit von der Besessenheit, ihren Glauben zu verlieren.

Wunder über Wunder also lockten die verschüchterten Maghrebinier aus ihren Erd- und Kellerhöhlen hervor ans Tageslicht, das dank des Heilands Lehre nun hell erstrahlte. Diejenigen, welche sich zu den Mördern geschlagen hatten, legten reumütig ihre Waffen nieder und begaben sich wieder regelmäßig und pünktlich ins Büro. Das erste Wirtschaftswunder der Weltgeschichte vollzog sich. Maghrebinien begann von neuem aufzublühen. Anders aber als bei anderen Wirtschaftswundern erstickte der Materialismus nicht das Seelenleben der Maghrebinier. So sehr war der Glaube bald in ihr Alltagsleben verwoben, daß man von einem Mann erzählt, der zur Miete in einem Hause wohnte, dessen Dach schon krachte: Als er sich darüber beim Hausbesitzer beschwerte, erwiderte ihm der: «Dies Dach kracht, weil es GOTTES Allmacht preist.» Darauf entgegnete der Mieter: «Ich fürchte, es wird bald zu Boden fallen, um zu beten. Ich ziehe also lieber aus.»

Für Methodius und Kyrill, die Glaubensbringer, hub unterdessen der schwierigere Teil der Missionsaufgaben an, nämlich der Aufbau einer straffen kirchlichen Organisation, welche den Eifer der Verzückten in segensreiche Triften lenken und die wachsende Menge der Bekehrten zu ordentlichen Kirchensteuerzahlern erziehen sollte.

Indes, so sehr man auch im fernen Byzanz das gottesgefällige Bestreben der Heilsverkünder unterstützen mochte, es fehlte doch unter der geschulten Priesterschaft dortselbst an Erleuchteten, die sich für ausersehen betrachtet haben würden, die schimmernde Hauptstadt des Ostreichs mit der Mördergrube hinter den transherzynischen Wäldern zu vertauschen und, anstatt, Blick in Blick getaucht, den schönsten goldstaubüberpuderten Damen den Klingelbeutel hinzuhalten, den schmutz- und waffenstarrenden Halbheiden die Bernsteinpflöcke aus den Nasenflügeln zu ziehen, um sie durch Bakelit-Kreuze zu ersetzen. Nur sehr fanatische Glaubensdiener meldeten sich dazu.

So sahen Methodius und Kyrill, die zu neuen Bekehrungsexpeditionen in noch unaufgeschlossene Provinzen Maghrebiniens rüsteten, sich gezwungen, als ersten Bischof von Metropolis den kernigen Schnorri Sturuson einzusetzen, einen isländischen Wotansrenegaten [später genannt: der Savonarola von Maghrebinien]. Von skrälingischen – das ist: eskimotischen – Diakonen und Ministranten begleitet, zog der harte Kirchenmann in das zerstörte, jetzt jedoch mächtig wiederauflebende Metropolis ein, begann den Bau der Kathedrale Hagia Sophistia und ein Glaubensregiment der eisernen Faust.

Die Barbarenstürme hatten leider auch an den Sitten gerüttelt und sie gelockert. Weit verbreitet war, dank dem innigen Zusammenleben von Mensch und Vieh in den Erdhütten, die Sodomie. Die Knabenliebe blühte nicht mehr in hellenistischer Verfeinerung, sondern wucherte als wüste Ausschweifung. Um dieses unsittliche Treiben zu überwachen, drückten die skrälingischen Diakone Bischof Schnorris ihre Schlitzaugen an jedes Schlüsselloch und ihre knusperig gefrorenen Ohren an jede Ritze in der Wand. Was sie sahen, ließ den Eisbärtalg auf ihren Stirnen schmelzen. Was sie hörten, zog Sprünge in ihre Kreuze aus Walroßzahn. Was sie zu berichten wußten, sträubte Bischof Schnorris Drahthaarbart. Mit Donnerworten der Verdammung fiel er her über das kaum bekehrte Volk. Reinheit und Sittenstrenge wollte er den Maghrebiniern beibringen. Und in der Tat: so gewaltig war die Macht der Donnerpredigten des Bischofs Schnorri Sturuson, daß Angst die Maghrebinier befiel und ein guter Teil des Volkes Knaben und Ziegen fürderhin verschonte. Als aber Bischof Schnorri so weit ging, die Freudenmädchen zur Hölle zu verdammen und mit ihnen alle Männer, die sie zu besuchen pflegten, kam es in Maghrebinien zur Glaubenskrise.

In Massen fielen die Bekehrten wieder von der Heilandslehre ab. Im Tempel des Baal Delaverus, in dem man vorübergehend die Börse untergebracht hatte, fanden wieder nächtliche Opferungen statt. Man bediente sich dazu des Geflügels, welches man gemeinhin Hühner nennt, worin Bischof Schnorri eine Verhöhnung des Backhuhns der beiden Apostel Methodius und Kyrill erblicken wollte. Die Freudenmädchen aber gelobten, auch jeden einzelnen Maghrebinier in die Hölle mitzunehmen, und setzten zu diesem Zweck die Tarife so herunter, daß die Warteschlangen vor den Hurenhäusern zum ersten Verkehrschaos der Weltgeschichte führten.

Davon erfuhr der Eremit Panurgij, genannt der Haarige, der zu Klokutschka in seinem Erdloch lebte, ernährt von Bienen, die ihm Honig auf die Lippen träufelten, und von Ameisen, die ihm Weizenkörner zwischen die vom Gebet gelockerten Zähne schoben. In harten Wandermärschen über Berg und Tal machte der insekten-

umrieselte Einsiedel sich auf nach Metropolis, um seinen Christenbrüdern Erleichterung zu bringen. Dort angelangt, fragte Panurgij, der Haarige, den ersten besten, den er antraf, nach der neu erbauten Kathedrale Hagia Sophistia. «Sie gehen», so sagte man ihm, «hier links um die Ecke, dann die erste Straße rechts, dann wieder die dritte links bis zu dem großen Platz. Dort ist die Kathedrale.» – «Aber», so erwiderte der Eremit, «dort ist doch das Hurenhaus?» – «Keine Spur», so wurde ihm entgegnet, «das nächste Hurenhaus liegt schon hier in der ersten Straße rechts. Sie erkennen es an der ersten verkehrshemmenden Warteschlange.» – «Danke vielmals», erwiderte der Eremit. Nachdem er so auf wahrhaft christliche Weise, nämlich sanft wie eine Taube und klug wie eine Schlange, die interessantesten Adressen der Stadt erkundet hatte, suchte Panurgij, der Haarige, die Institute eines nach dem andern auf und predigte den Dirnen in mildfeuriger Rede Sittenstrenge und Entsagung. Die Dirnen aber lauschten ihm verzückt.

Davon erfuhr nun seinerseits Bischof Schnorri Sturuson durch seine skrälingischen Diakone. Als ein Mann von unumstößlichen Prinzipien, der es zur eisernen Regel erhoben hatte, daß das Priesterwort Furcht und Schrecken hervorzurufen habe, da bekanntlich die milde Rede zum einen Ohr hinein, zum andern aber wieder hinausgehe wie Schwalbenflug in einer Scheune; und daß darum jegliche Predigt mit dem beißenden Widerhaken der fürchterlichsten Höllendrohung zu versehen sei, duldete Bischof Schnorri des haarigen Eremiten unerbetenen Eingriff ins geistliche Leben seiner Diözese nicht. Er verfaßte eine Enzyklika, in welcher theologisch auseinandergesetzt wurde, daß Gott ohne den Teufel nicht vorzustellen sei, ja, daß eben der Teufel, als das Prinzip des Bösen, erst das Gute und damit Gott bewirke. Sodann belegte Bischof Schnorri den Eremiten Panurgij mit dem Bann, weil er in geistlichem Allwettergewand, nämlich im Zottelfell des Einsiedels, in den Puff gegangen war.

Inzwischen war aber die Mehrzahl der Huren fromm und keusch geworden, empfing die Kundschaft mit sanftem Bruderkuß, faltete ihnen die unzüchtigen Hände über der eigenen Brust und hielt sie zum Singen frommer Litaneien an. Viele der Freudenmädchen zogen auch die Messer aus den Stiefelschäften ihrer Zuhälter und legten sie auf ihren Lotterbetten zwischen sich und die Klienten, die sie mit erbaulicher Zusprache unterhielten. Es läßt sich sagen, daß die *Carezza* – das ist: die zarte Liebeskunst beseelter Zuneigung – von den Huren von Metropolsk unter der Anleitung des haarigen Eremiten Panurgij erfunden worden sei.

Diejenigen aber von den Venusdienerinnen, welche verstockt an ihrem sündigen Treiben festhielten, wurden vom Teufel besessen und bissen ihre Gäste mit schäumenden Zähnen, schlugen ihnen die Nägel tief ins Fleisch und verlangten so überaus hohe Preise, daß die Verschreckten wie Flöhe von den Betten aus den Fenstern der Hurenhäuser sprangen.

Flüssig durchpulste der Verkehr wieder die Straßen der aufblühenden Metropolis, aus der später die so bedeutende und schöne Hauptstadt Maghrebiniens, unser einzigartiges Metropolsk werden sollte. Verschwunden waren die verkehrshemmenden Warteschlangen vor den Hurenhäusern, und der Eremit Panurgij, genannt der Haarige, machte sich befriedigt wieder zu seinem Erdloch bei Klokutschka auf, welches er nach langem Fußmarsch dann auch endlich erreichte.

Aber die Flüssigkeit des Straßenverkehrs von Metropolis nahm zu und steigerte sich in immer bedenklicherem Maße. Keiner wandelte mehr gemessenen Schrittes dahin, man rannte vielmehr aus Leibeskräften. Esel und Kamele galoppierten; Pferdedroschken, die sogenannten Birdschas, aber auch Kibitkjis und Taradajkas – das sind: Kutschen und Karren – hetzten dahin, daß die Funken von den Rädern stoben. Hatte die Hauptstadt vor der Ankunft des haarigen Panurgij einem Topf mit zähem Kasch – das ist: einem Brei von Honig und Hirse – geglichen, so brodelte und wallte es jetzt in ihr wie in einem auf dem Feuer vergessenen Kessel Borschtsch.

Es hatten nämlich die skrälingischen Diakone zu einer Gegenaktion wider die Huren angesetzt, die jetzt verhängnisvolle Auswirkung zeitigte.

Nicht nur durch das, was diese Lakaien Christi durch Schlüssellöcher und Wandritzen hatten beobachten können, sondern auch durch das, was ihnen über die Ohrenbeichte zugetragen worden war, wußten sie, daß es unter der Frauenschaft von Metropolis eine starke Gruppe von sittlich lockeren Mädchen, entschlossenen Ehebrecherinnen und heißblütigen Witwen gab, welche es sich zum Ziel gesetzt hatten, dem Notstand abzuhelfen, der den Männern durch die Bekehrung der Huren erwachsen war. Besonders den Witwen war viel daran gelegen. Man erzählt von einer jungen Frau, die am Grabe ihres Mannes saß, den sie tags zuvor begraben hatte, und es mit einem Fächer fächelte. Als man sie fragte, warum sie solches tue, erwiderte sie: «Ich habe meinem Mann versprochen, mich keinem andern hinzugeben, bevor sein Leib erkaltet sei.»

Tückisch hatten die Skrälinger Bischof Schnorris die Namen und Adressen solcher Hilfreichen erkundet und an die Hilfsbedürftigen ausgestreut. Da nun aber diese Akte der Nächstenliebe, dem großen allgemeinen Notstand entsprechend, umsonst geleistet wurden, setzte bald ein solcher Zulauf zu den Samariterinnen ein, daß der Verkehr der Hauptstadt Maghrebiniens, namentlich in der Stoßzeit, wirbelte wie ein Hexenrad.

Bischof Schnorri Sturuson sah sich in äußerst mißlicher Lage. Nicht nur drohte das Chaos neuerlich über Metropolis hereinzubrechen, sondern es war auch bald ein Ausmaß der Sittenlosigkeit erreicht, wie seither leider niemals wieder in der Geschichte des Landes Maghrebinien, und das will etwas heißen. Der Gedanke, daß durch Hilfsdienst einem Notstand abzuhelfen sei, zündete in allen Schichten der Gesellschaft, vor allem in der sogenannten guten. Immer neue Mädchenschwärme meldeten sich freiwillig dazu. Die Männer von Metropolis ließen sich mit Begeisterung notstandsbetreuen. Knaben im zartesten Alter und Greise im brüchigsten liefen, was ihre Beine hergaben, zu den bald an allen Straßenecken eingerichteten Betreuungslokalen. Verlassen waren die Märkte, im Basar die Buden der Händler umgestürzt, Krüge und Gerät zerbrochen, verödet lagen die Hamams – das ist: die Schweißbäder der Männer –, und selbst die außerordentlich faulen Herumlungerer und Tagediebe auf den Treppenstufen öffentlicher Gebäude, die der Stadt Metropolis das sprichwörtliche pittoreske Gepräge gegeben hatten, begnügten sich nicht mehr damit, den emsigen Bürgern die Schalen ausgekauter Kürbiskerne vor die Füße zu spucken, sondern wurden äußerst eifrig und beteiligten sich wimmelnd an dem allgemeinen Sturm zu den Helferinnen.

Niemand anderer als wiederum der haarige Panurgij, so mußte Bischof Schnorri Sturuson sich berserkerhaft zähneknirschend eingestehen, würde imstande sein, hier Abhilfe zu schaffen. Wie aber sollte er, der Kirchenfürst, vor dem Eremiten, den er kürzlich erst mit dem Bann belegt, sich demütigen, indem er ihn jetzt um Hilfe bat?

Der nordische Gottesstreiter ging mit umsichtiger Schlauheit vor. Zunächst verfaßte er eine zweite Enzyklika unter dem Titel: «Das gute Wort bringt die Schlange aus ihrer Höhle.» Darin wies Bischof Schnorri nach, daß – wie er es in seinem ersten Hirtenbrief behauptet hatte – die Existenz des Teufels zwar in der Tat für diejenige Gottes unerläßlich sei, deshalb aber doch nicht unbedingt in jeder Predigt erwähnt zu werden brauche, da der Teufel, durch sanfte Säuselrede bekanntlich wie die Schlange aus der Höhle gelockt, sich alsbald von selbst bemerkbar mache und Gott dadurch nur um so sichtbarer manifestiere.

Derart schlug Bischof Schnorri erst einmal eine theologische Brücke über die Kluft der Auffassungen, ohne einerseits die seine geradezu zu widerrufen, andererseits derjenigen des haarigen Eremiten gänzlich recht zu geben, ihr aber immerhin genügend Rechtfertigung einräumend, um sowohl Panurgij versöhnlich zu stimmen, wie auch die Ohren der Gemeinde wieder für sein mildes Wort zu öffnen.

Was Bischof Schnorri allerdings nicht wissen konnte, war, daß der haarige Einsiedel, der schmollend wieder in sein Erdloch bei Klokutschka gekrochen war, nun, da er ohnehin sich im Bann befand, es zugelassen hatte, daß die Bienen, die ihn gemeinsam mit den Ameisen fütterten, ihm doppelte Portionen Honig auf die Lippen träufelten, so daß ganz automatisch seine Rede doppelt süß und voll der Sanftmut davon troff, doppelt entgegengesetzt also der Auffassung von Bischof Schnorri. Also daß trotz der versöhnlichen zweiten Enzyklika des Wotansrenegaten die Auffassungen nur um so heftiger aufeinanderprallen mußten, nämlich: hier ein süßlockendes evangelisches Wiegenlied, dort aber eine Sprache der Gewalt, die, einmal hinter das Trommelfell des einen Ohres der Bepredigten gedonnert, sich in ihre Seelen senken würde bis zu jenen Tiefen, wo die Ängste nisten, um nicht mehr leichthin wie der Vogelflug sie wieder durch das andere Ohr zu verlassen.

Panurgij seinerseits war nicht imstande, sich von den Zuständen in Metropolis ein wahres Bild zu machen. Als nun die Abgesandten Bischof Schnorris an sein Erdloch kamen, um ihn im Namen der christlichen Nächstenliebe aufzufordern, daß er sich wieder nach Metropolis begebe, damit den Huren der Hauptstadt Maghrebiniens durch seine Predigt das eingeschläferte Berufsethos wiedererweckt werde, verlangte der haarige Eremit von seinem geistlichen Widersacher etwas schier Unmögliches: nämlich, neben der Aufhebung des Bannes, die als selbstverständlich vorauszusetzen sei, die Einholung nach Metropolsk in feierlicher Prozession, an welcher die gesamte Frauenschaft, allen voran die Huren, teilzunehmen hätten.

Nach dem bekannten Stand der Dinge war diese Bedingung kaum erfüllbar: Die Frauenschaft von Metropolis hatte sich nämlich nun bereits geschlossen dem Hilfsdienst hingegeben und fand darin eine solche Erfüllung, daß ihr überhaupt nichts daran lag, den Eremiten einzuholen. Die Huren aber waren um ihr tägliches Brot gebracht und zürnten ihrem Bekehrer in begreiflicher Erbitterung. Wohl wären sie ausgezogen, ihn zu empfangen, allerdings mit einem Hagel von Steinen. Was nun Bischof Schnorri um jeden Preis vermeiden wollte, war ein solcher Märtyrertod des Eremiten, welcher nicht nur die Wiederherstellung normaler Zustände vereitelt haben würde, sondern auch Panurgij vor Bischof Schnorri selbst einen außerordentlichen Vorsprung auf der Stufenleiter zur Seligkeit verschafft hätte.

Dem Historiographen zeigt sich hier die Lage so verwickelt, daß es angemessen scheint, das Kapitel abzubrechen, um ein neues zu beginnen.

FORTSETZUNG DES VORANGEGANGENEN KAPITELS – WELCHES BEINHALTET DIE FORTSETZUNG DES AUFSATZES DES JUNGEN KLAUSJÖRG THEESENIETER ÜBER DIE LEGENDEN AUS DER ZEIT DER CHRISTIANISIERUNG MAGHREBINIENS.

DA SIE DICH SCHLUGEN – GEBOTEN SIE DIR – NICHT ZU TÖTEN.

ES IST GEBOTEN, IN DIESEN WIRREN EINEN BLICK AUF DAS KÖnigshaus der Karakriminalowitsch und dessen Haltung gegenüber der Botschaft des Heilands zu werfen.

Als die beiden Missionare Methodius und Kyrill im zwillinghaften Gleichschritt Maghrebinien betraten, neigten sich die Tage des wilden, jedoch sehr schlauen und weit vorausschauenden Wojwoden Přzibislaw ihrem Ende zu. Nikephor, sein mutmaßlicher Sohn und tatsächlicher Nachfolger, war mit der Mehrung und Einigung des Reiches so vollkommen ausgelastet, daß er auf die Vorgänge im religiösen Sektor kein Augenmerk zu wenden vermöchte. Nicht vorher, als daß die erste Königskrone Maghrebiniens seine hehre Stirn zierte, konnte sein Herrscherhaupt sich den Verkündigungen der Apostel entgegenneigen.

Mit der ihm eigenen flinken Auffassungsgabe lauschte der große Fürst aus dem Geschlecht der Karakriminalowitsch dem heilsbringenden Duett der Missionare. Schon sank der Keim des Glaubens in seine Seele. Da aber besann sich der weise und gerechte Mann. Um sich nicht blindlings hinreißen zu lassen, beschloß er, die Glaubensverkünder erst zu prüfen. Heimlich gab er einem seiner Höflinge den Wink, zum Thron zu treten und ihm etwas zuzuflüstern. Als solches geschehen war, machte er ein äußerst bestürztes Gesicht. «Ich habe», so sagte er zu den Heilsbotschaftern, «soeben die Nachricht erhalten, daß der Erzengel Michael gestorben ist.» – «Sei unbesorgt», riefen Methodius und Kyrill ihm wie aus einem Munde zu, «es kann nicht sein, denn Engel sind unsterblich!» – «Wie?!» rief der König aus. «Eure Engel sollen unsterblich sein, da ihr mir doch eben erst erzähltet, daß euer Gott auf dem Kreuz gestorben ist?!» Und zu seinen Schergen: «Werft sie in die Halitza! Denn es sind Lügner!»

Die Glaubensbrüder wären den Märtyrertod gestorben, hätte nicht der Herr ein weiteres Wunder geschehen lassen. Es hatte sich nämlich im Hamam – beziehungsweise in den Thermen – von Metropolis das Folgende abgespielt: Eben von der Ausübung der maghrebinischen Vendetta heimgekehrt, hatte sich das damalige Oberhaupt des Bojarengeschlechts der Kantakukuruz dorthin begeben, um sich nach seinem anstrengenden Geschäft säubern, salben und massieren zu lassen, sowie überdies seinem Vetter Pungaschij, in dessen Frauenhaus er eingefallen war und der sich seinerseits im Bad befand, die ritterliche Nachricht zu überbringen: «Keine von deinen Töchtern, lieber Freund, kommt im Bett auch nur annähernd an deine verehrungswürdige Frau Gemahlin heran, ausgenommen vielleicht –» und hier machte Kantakukuruz eine kleine Kunstpause, um das zärtliche Vaterherz spannungsvoll höher schlagen zu lassen – «ausgenommen vielleicht –» und wissend, daß es sich um Pungaschijs Lieblingstochter handelte, sprach er endlich den Namen aus –: «ausgenommen vielleicht Etelka.» Sodann entkleidete sich Kantakukuruz und bat Pungaschij, einen Beutel mit Goldstücken, den er bei sich trug, so lange aufzubewahren, bis er gebadet hatte.

Gern kam Pungaschij, entzückt über seines Vetters Höflichkeit, der Bitte nach. Während nun Kantakukuruz gebadet, gesalbt und durchgeknetet wurde, füllte Pungaschij das Gold aus dem

Beutel in einen hohlen Stecken, den er mit sich führte, und warf den leeren Beutel weg.

Als Kantakukuruz sein Bad beendet hatte, verlangte er den Beutel zurück. «Wie?!» sprach darauf Pungaschij. «Welchen Beutel? Du scherzest, Vetter!» Darüber gerieten sie in Streit, und da es für so hohe Herren nicht ziemlich war, denselben vor den Badedienern auszutragen, begaben sie sich auf des Pungaschij Vorschlag vor den Thron Seiner Majestät, des Königs Nikephor. Sie gelangten dorthin in eben jenem Augenblick, als man im Begriff war, die arretierten Glaubensverkünder, Methodius und Kyrill, abzuführen und sie in die Halitza zu schmeißen.

Als nun die Bojaren vor den König traten, um ihm ihren Streitfall vorzutragen, rief Pungaschij aus: «Ich behaupte, daß ich kein Gold bei mir trage, daß vielmehr Kantakukuruz, der mich verleumden will, das seine in den Händen hält. Dies bin ich bereit, vor dem höchsten aller Götter, nämlich vor Baal Delaverus zu beschwören!» Damit gab der schlaue Pungaschij seinen Stock, in dem das Gold versteckt war, dem Kantakukuruz zu halten, und hob seine Arme auf, um den Schwur zu leisten.

Ungeachtet aber, daß er sich eigentlich bereits als verhaftet zu betrachten gehabt hätte, sprang der unerschrockene Methodius, diesmal im Alleingang, vor und rief: «Mitnichten ist Baal Delaverus der höchste aller Götter, sondern es ist nur EIN Gott, nämlich der, den wir verkünden!» Damit riß der Missionar den Stock des Pungaschij aus der Hand des Kantakukuruz und stieß ihn so heftig auf, daß der Stock zersprang und die Goldstücke über den Marmorboden des Palastes rollten. Damit ward die Lüge des Pungaschij offenbar, allerdings auch seine außerordentliche Schlauheit.

Der König aber und sein Hof nahmen es als ein Gottesurteil, bewirkt durch den HERRN der beiden Missionare, und bekehrten sich uneingeschränkt zum Christentum. Man spricht seither in Maghrebinien, so es sich um eine beträchtliche Summe handelt, von einer schönen «Stange Geld».

Was König Nikephor indes verschwieg, indem er sich nur um so inniger bekehrte, war, daß der Stecken des Pungaschij, als Methodius ihn aufstieß, seinen linken Fuß getroffen hatte. Des Monarchen Rist war durch und durch gebohrt. Von der Wonne der Bekehrung überwältigt, vermeinte Nikephor ausersehen zu sein, einen Teil der Leiden Christi selbst zu ertragen. Er nahm die Wunde als ein Stigma hin und ließ auch in der Folge keinen Arzt daran, so daß sein linker Fuß sich alsbald in einem schlimmen Zustand befand.

Die Missionare ließen daraufhin aus Byzanz einen hohlen Zahn des heiligen Kaisers Konstantin kommen. Die Reliquie war weithin für ihre unbedingte Heilkraft berühmt. In feierlicher Form wurde sie nach Metropolis eingebracht.

An eben der Kreuzung, an welcher sich heute in unserer ebenso schönen wie bedeutenden Hauptstadt Metropolsk die Kalea Pungaschijlor mit der Schosséa Hotzilor – das ist: die Straße der Beutelschneider mit dem Boulevard der Taschendiebe – überschneidet, hatten sich aber in jenen legendären Tagen zwei Bettler, ein Lahmer und ein Blinder, installiert. Dank der durch die Lehre des Christentums sehr angefeuerten Mildherzigkeit machten sie dort ganz ausgezeichnete Geschäfte. Als sie vernahmen, was sich da unter brausenden Chorälen, Glockengeläute und Weihrauchschwaden ihnen näherte, befiel sie die berechtigte Furcht, sie könnten, zart angenagt von der Wunderkraft des Zahns, von ihren Gebrechen geheilt und so der Grundlage ihrer üppigen Existenz beraubt werden. In panischem Schrecken flüchtete der Blinde, indem er den Lahmen auf dem Buckel trug. Eben wegen seiner Blindheit aber rannte er in die falsche Richtung, nämlich der Prozession entgegen. Dabei stolperte er und warf den Lahmen ab. Der Lahme aber stürzte und riß das Tabernakel um. Der Zahn des heiligen Kaisers fiel in den Staub und berührte die beiden Bettler. Sie kamen sofort zu voller Gesundheit.

Von diesem Wunder überwältigt, warf sich ein jeder, der ein Leiden hatte oder auch nur zu haben meinte, über den Zahn. Es entstand ein ungeheuerliches Gewühle, bei welchem der Zahn [bedauerlicherweise für alle künftigen Kranken und erfreulicherweise für alle Ärzte] für immer verschwand.

Dem vormals Lahmen und dem wieder sehend gewordenen Blinden aber blieb nichts anderes übrig, als den Beruf zu wechseln. Fortan betätigten sie sich an der Stelle, die ehemals das Zentrum ihres Bettelreviers gewesen war, als Taschendieb und Beutelschneider, woher denn auch die beiden Hauptstraßen des heutigen Metropolsk ihre Namen haben.

Methodius und Kyrill aber, die zwillingsbrüderlichen Apostel, wurden durch dringliche Missionsaufgaben im kimmerischen Gebirge aus der Hauptstadt abgerufen.

Nicht geheilt von seinen Leiden blieb König Nikephor I. aus dem glorreichen Herrscherhause der Karakriminalowitsch. Als maghrebinischer Fischerkönig siechte er dahin und wartete vergeblich auf seinen Parzifal. Es ist begreiflich, daß er zunächst um den Streit zwischen Bischof Schnorri Sturuson und dem Einsiedler Panurgij sich nur wenig kümmerte. Als jedoch die Kunde von der neuerlichen Unordnung in der Hauptstadt zu seinen Ohren kam, beschloß der erhabene Monarch, dem unseligen Treiben ein Ende zu setzen. Als Bettelmönch verkleidet, lediglich auf den zerbrochenen Stab des Pungaschij – das Symbol seiner Bekehrung – gestützt, humpelte der große Nikephor über Berg und Tal bis nach Klokutschka, um Panurgij aufzusuchen und im Namen des leidenden Volkes aufzurufen, nach Metropolis zu kommen.

Panurgij sah, daß der König hinkte und heilte ihn durch schieres Handauflegen sofort, und zwar so gründlich, daß der König später noch oft im Familienkreise seine hohen Enkelkinder durch seine Fertigkeit im Steptanz entzückte. Unverzüglich begaben sich sodann Monarch und Eremit beritten zurück nach Metropolis.

Ihr Einzug in die Hauptstadt war triumphal. Bischof Schnorri war klug genug, seinen Stolz zu beugen. Er zog den beiden bis vor die Stadt entgegen, küßte den geheilten Fuß des Königs im Steigbügel, nahm den Bann von Panurgij und bat ihn brüderlich im Namen der Nächstenliebe, die Huren von Metropolis wieder zur Unzucht zu bewegen.

Die Huren, die gleichfalls – allerdings in anderer Absicht – ihrem Bekehrer bis vor die Tore der Stadt entgegengezogen waren, vernahmen, um was es ging. Jauchzend warfen sie die schon bereitgehaltenen Steine weg und pfiffen Halleluja auf ihren Schlüsseln. Allerdings forderten sie, um ihre Arbeit wieder mit ethischem Ansporn zu verrichten, daß der haarige Eremit ihre erneute Sinneswandlung durch einen Akt ritueller Defloration einleite, denn sie fühlten sich seit der Bekehrung wieder als Jungfrauen.

Als davon die freiwilligen Nothelferinnen erfuhren, kamen auch sie in dichten Schwärmen vor die Stadt gezogen und forderten, um ihrerseits den Hilfsdienst einzustellen, eine neuerliche rituelle Versiegelung. Mit heiligem Eifer machte Panurgij sich auf der Stelle an die Arbeit. Die Edelsten des Landes, allen voran König Nikephor, halfen dabei nach Kräften mit, selbstverständlich auch die Bojaren aus den Geschlechtern der Kantakukuruz und der Pungaschij, sowie – mit einigem Abstand – die Siktirbey. Es sollte für lange Zeit das letzte Einvernehmen zwischen dem König und seinem hohen Adel sein.

In Wahrheit aber konnte der Wotansrenegat Sturuson die Demütigung seines Stolzes nicht überwinden. Heimlich beschloß er, Panurgij zu vernichten. Dabei kam ihm höchst gelegen, daß König Nikephor bald von vordringlicheren Staatsaufgaben abgelenkt wurde.

Das Reich war noch nicht gänzlich einig. Immer wieder versuchten die Teilfürsten, sich gegen die Herrschaft der Karakriminalowitsch zu erheben. Als Nikephor einige von ihnen maßregelte, kam es zum offenen Abfall der Mächtigsten, nämlich eben jener Geschlechter der Kantakukuruz und der Pungaschij, sowie – mit einigem Vorsprung diesmal – auch der Siktirbey. Niemand anderer nämlich als Vlajku Siktirbey stellte sich an die Spitze der Fronde, indem er dem König, einen Auftrag zurückweisend, ein höchst unverschämtes Schreiben des folgenden Wortlauts übersandte:

«Königliche Wünsche auszusprechen ist Sache der Abkömmlinge von Königen. Du bist vermutlich der Bastard des zwitterigen Sohlenkitzlers

Delikatus. Deine Abkunft von Přzibislaw, genannt Křziwousty – das ist: Schiefmaul –, den wir achteten und anerkannten, ist dank der Hurerei Deiner Mutter äußerst fragwürdig. Den Thron, der kümmerlich geworden ist unter Deinem ängstlich zugekniffenen Hintern, konntest Du nur erklimmen, weil keiner da war, der sich die Mühe genommen hätte, Dir das Recht dazu abzustreiten. Sogar die Byzantiner, deren kläglichen Glauben Du angenommen hast, erkennen Dich nur als Archonten von Manipulien an und niemals als König von Maghrebinien. Ich, Vlajku Siktirbey, Despot der Bajufen, empfehle Dir, wieder in den Sumpf von Hammelscheiße, aus dem Du kommst, zurückzutauchen, und zwar bis an den Hals, jedoch nicht tiefer, damit der Glanz meines Ruhms Deine trüben Augen blende. Du sollst sie schließen und so in Demut verharren bis an das Ende Deiner Tage. Deinen Söhnen aber, soweit Du lügnerisch behauptest, daß sie die Deinen seien, schicke ich Bettlerstäbe und Bettlerschalen, damit sie Dich derweil, Deinem Stande angemessen, ernähren können.»

Nikephor raste vor Zorn und stieß fürchterliche Drohungen aus, besann sich aber alsbald auf seinen neuen Christengott, der uns die Liebe auch zu unseren Feinden lehrt, und schwur lediglich, den Siktirbey zu fangen, zu köpfen und sein Haupt auf einem einfachen Holzteller den Ratten vorzulegen. Würdevoll erwiderte er sodann auf das unverschämte Schreiben des Abtrünnigen das Folgende:

«Das Recht der Könige ist auf Macht gegründet, und der höchste Titel ist das längste Schwert. Ich verachte Prahlerei. Da mir jedoch Dein unbesonnenes Geschwätz gezeigt hat, daß Du ein Weib bist, übersende ich Dir einen Spinnrocken, Dir wünschend, Deine ungeschickten Hände möchten den Faden bald so verwirren, daß er sich um Deinen Hals lege und Dich ersticke, damit Du so dem Ende entgehst, das ich für Dich vorgesehen habe.»

Damit aber gab Siktirbey sich nicht zufrieden. Es kam zum Kampf, dessen Entscheidungsschlacht Nikephor durch List gewann: Zum Schein verschanzte er sich in ein Lager. Als er merkte, daß Vlajku Siktirbey einen nächtlichen Überfall darauf vorbereitete, verließ er es mit seiner Truppe heimlich, ließ aber alle Hunde und Esel zurück, deren Bellen und Schreien die Lauernden täuschen sollten. Auch schwelten alle Feuer. Ringsum aber stellte Nikephor die Toten der vorangegangenen Gefechte als Schildwachen auf und erweckte so bei den Mannen Siktirbeys den Eindruck, ein vollbesetztes Lager vorzufinden. Als sie darüber herfielen, drang der Monarch im Rücken auf sie ein, schlug sie vernichtend und nahm den Siktirbey gefangen.

Ihn zu köpfen und seinen Kopf den Ratten vorzuwerfen, war Nikephor durch seinen Eid verpflichtet. Es heißt in Maghrebinien: Den Esel bindet der Strick, den Menschen seine Unterschrift, den König aber sein Wort. Indes, der neue Glaube wirkte auch diesmal wieder mildernd auf die Gesinnung des großen Herrschers ein. Nachdem die Ratten den Schädel des Siktirbey blankgefressen hatten, befahl Nikephor, ihn zu polieren, und stellte ihn in einer prächtigen Kapelle auf, wo der Monarch noch viele Jahre später sein Gebet verrichtete: so beseligt vom Licht des rechten Glaubens, daß angeblich niemals ein breites Lächeln von seinen Lippen gewichen ist.

Solch fromme Haltung blieb nicht ohne Himmelslohn. Siktirbey war noch nicht unterworfen, da sammelte schon Kantakukuruz um sich die Teilfürsten, Gaugrafen und freien Steppenhäuptlinge, die sich dem Zentralismus der Karakriminalowitsch widersetzten, und führte sie gegen den König. Es kam zur Schlacht von Nikolitzel, die eingegangen ist in die Ruhmesgeschichte unseres Christenglaubens.

Auf blumigem Anger traten die beiden Heere sich gegenüber: Drüben die heidnischen Horden des Kantakukuruz, vor Haß und Mordgier schäumend, hüben die tapferen Streiter Nikephors, in der schönen Zuversicht, daß ihnen nach dem Heldentod der Himmel offen stehe. Klirrend und waffenstarrend näherte man sich einander. Da kam von oben das erste Zeichen: Eine Flamme loderte über dem Haupte Nikephors auf und schlug als Blitz in die feindlichen Reihen. Aus dem klaren Sommerhimmel brachen Frost und Hagel über die Helden nieder, ein böser Sturm trieb alle Wolken um die hohen Gipfel des kimmerischen Gebirges über sie, und Schneegestöber wirbelte auf und nahm ihnen die Sicht. Auf der Seite Nikephors aber schien die mildeste Sonne wie über Capri.

Aber die rauhen Berg- und Steppenkrieger des Kantakukuruz waren nicht so leicht zu bezwingen. Sie schlitzten ihren Saumtieren die Bäuche auf und tauchten ihre Hände in die rauchenden Gedärme, um ihre in der Kälte klamm erstarrten Finger darin aufzutauen. Gegen das Schneegestöber aber banden sie sich Drosseln an die Schnurrbartspitzen. Die verängstigten Vögel flatterten aufgescheucht davor hin und her und verhinderten durch ihren Flügelschlag ein Zukleben der kriegerischen Augen. Maghrebinien ist so das Mutterland des Scheibenwischers.

Wütiger denn je schnellten die Mannen des Kantakukuruz ihre Pfeile von den starken Flitzbogen, zielsicherer denn je schleuderten sie ihre Speere. Pfeifend schnitten ihre Streitäxte und Krummsäbel sich in die Panzer der Bekehrten unter dem Christenkönig Nikephor ein.

Die Schlacht war fürchterlich. Vom Morgengrauen bis zum Abend wurde gefochten, und als das Abendrot den Himmel so blutig färbte wie das Schlachtfeld, als die zu Tod erschöpften Kämpfer neben den Gefallenen und Wunden niedersanken, war das Echo des Schlachtgetümmels, waren die Schreie der Streitwut und des Schrekkens, des Siegesrausches und des Sterbens, waren das Stöhnen und Röcheln der Verstümmelten, das Wiehern der Rosse, der stampfende Marschtritt anrennender Kolonnen, das Schallen der Trompeten und Rasseln der Trommeln, waren das Aufeinanderklirren, Brechen und Splittern der Waffen und Knochen immer noch in der Luft zu hören und hielten an über Nacht und den ganzen nächsten Tag. Und erst, als schon die Raben in finsterem Gestöber über der Walstatt schwärmten, wurde allmählich offenbar, daß Nikephor den Sieg errungen hatte. Die gläubige Zuversicht des Königs hatte über die Stärke seines Gegners Kantakukuruz gesiegt.

Es hatte allerdings auch Nikephor das Heer der Feinde damit getäuscht, daß er als Kern seiner Streitmacht eine Söldnertruppe verhältnismäßig kleingewachsener, aber starker Waräger mit schwarzgekräuselten Perücken und maghrebinischer Bewaffnung kämpfen ließ. Im Glauben, echte Maghrebinier vor sich zu haben, warf Kantakukuruz seine volle Stärke auf sie. Aber die harten Waräger rannten nicht, wie er erwartet hatte, schon bei seinem ersten Ansturm davon. Vielmehr stritten sie verbissen und waren, weil sie die Sprache der Maghrebinier nicht verstanden, auch taub für jegliches noch so hohe Bakschisch-Angebot. Während sich so die starke Mitte seiner Truppe festfocht, stürmten auf den beiden Flügeln, wild in die Schilde schreiend und keulenschwingend, als Waräger verkleidete Maghrebinier mit schrecklichen blonden Perücken auf die Leute des Kantakukuruz ein. Sie wichen ängstlich. Die nachdrängenden falschen Waräger schlossen den Kreis um sie. Nikolitzel war eine klassische Umfassungsschlacht.

Wenn aber auch der Feind vernichtet war, so hatte Nikephors Streitmacht doch ungeheuerliche Verluste erlitten. Der König selbst war verwundet. Dem Kantakukuruz indes waren im Gefecht die Nase, beide Ohren, die Arme und die Beine abgeschlagen worden. Damit er nicht verblute und wieder Ohren habe, um Verhöhnung zu hören, ließ Nikephor ihn in eine Eselshaut einnähen und hängte ihn an der historischen Weide von Nikolitzel auf. Dann sammelte er die Reste seiner Mannen, um sie gegen den dritten Aufständischen, den mächtigen Pungaschij zu führen.

Inzwischen hatte in der Hauptstadt Metropolis der Bischof Schnorri Sturuson freie Hand, um seine Rache an Panurgij, dem haarigen Eremiten von Klokutschka und Schutzpatron der Hurenschaft, zu üben. Freilich bot der heilige Lebenswandel des Einsiedels ihm dafür keinen Anhalt. Seit seinem letzten heilsbringenden Ausflug zu den Huren von Metropolis hatte Panurgij sein Erdloch bei Klokutschka nicht mehr verlassen. Der Wotansrenegat Sturuson mußte einen Umweg nehmen.

Die Heilung der heiligen Attrakta von der Besessenheit, sie

könne ihren Glauben zwischen den Brüsten wegverlieren, hatte sich landaus landein als Wundertat Panurgijs herumgesprochen. Bischof Schnorri nahm sie zum Anlaß für ein feiges Ränkespiel. Angeblich um ihre offizielle Seligsprechung noch zu Lebzeiten einzuleiten, schickte er eine Kommission von hohen kirchlichen Würdenträgern aus, das Flechtwerk des dreiteiligen Büstenhalters der frommen Jungfrau auf überirdische Fabrikation zu untersuchen. Die Kommission stellte an Ort und Stelle fest, daß eben jenes Flechtwerk durchaus von menschlicher Herkunft, jedoch von so vollkommener Paßform sei, daß es außer jeder menschlichen Möglichkeit liege, es hergestellt zu haben, ohne die Beschaffenheit der jüngferlichen Brüste auf das genaueste zu kennen. Ja, man rechnete, um eine solche hautenge Anschmiegung erzielt zu haben, mit mindestens dreißig ausführlichen Proben. Anstatt also ein Argument zur Seligsprechung Attraktas zu liefern, zeugte der Büstenhalter im Gegenteil für eine unkeusche Beziehung zwischen der Jungfrau und dem Eremiten. Bischof Schnorri ließ sie beide gefangennehmen und machte ihnen wegen Hexerei und Unzucht öffentlich den Prozeß.

Beim hochnotpeinlichen Verhör Attraktas aber entbrannte Bischof Schnorri selbst in Liebe zu dem schönen Weibsbild. Wiederum angeblich, um die Augen der Richter und Zuschauer nicht durch den Anblick ihres Hexenbartes zu verletzen, ließ er sie nach der ersten zeugnisablegenden Vorführung rasieren. Ihre Schönheit war von so starker Wirkung, daß der Kirchenfürst erblindete. Trotzdem besuchte er die Schöne nachts im Kerker, tapste dort aber infolge seiner Blindheit in einen Nebenraum, wo er statt ihrer rußige Pfannen umarmte und innig küßte. Als er getan zu haben meinte, weswegen er gekommen war, stieg er am nächsten Morgen wieder schwarz wie ein Äthiopier ans Tageslicht. Seine eigenen Diener flüchteten vor ihm. Laut schreiend wollte er vor Gericht erscheinen. Man hielt ihn zuerst für einen Narren und ließ ihn nicht ein. Endlich erkannte man ihn. Entsetzt über seinen irren Zustand, brachte man auch Attrakta vor Gericht – und siehe: Über Nacht war ihr der Bart wieder nachgewachsen.

Es bedurfte nun keiner Probe mehr, um Attrakta zu verurteilen.

Indes, die Jungfrau lieferte in ihrer heiligen Unschuld noch eine weitere, die auch dem Eremiten Panurgij zum Verhängnis werden sollte: Als man daranging, sie zu entkleiden, um öffentlich schauzustellen, wie es mit der Paßform ihres Büstenhalters bestellt sei, war ihr härenes Gewand ihr an den Leib gewachsen wie ein Fell. Das genügte, um ihre unlautere Beziehung zum haarigen Panurgij zu bestätigen, der ja bekanntlich seinerseits mit einem dichten Pelz bewachsen war. Man brachte sie beide auf den Scheiterhaufen. Auf eben jenem Platz vor der Kathedrale Hagia Sophistia zu Metropolsk, wo heute das nasenlose Christusbild Thorwaldsens steht, wurden Panurgij und Attrakta den Flammen übergeben. «Das Feuer», so heißt es in der Märtyrergeschichte, «war ihnen zarter, milder Tau».

Zu spät erfuhr König Nikephor von dieser Untat des eigenwilligen Kirchenoberhauptes. Gänzlich von der Unterwerfung des letzten der rebellierenden Provinzfürsten in Anspruch genommen, vermochte der große Herrscher nicht mehr einzuschreiten. Er belagerte nämlich gerade die Höhlenfestung von Arkadasch Bodrum, in welche sich Pungaschij mit ungeheuerlichen Reserven an Mannschaft, Kriegsgerät und Verpflegung zurückgezogen hatte, um den Forderungen des ersten Königs eines geeinten Maghrebiniens unter der starken Hand der Karakriminalowitsch verächtlich hohnzusprechen. Den Abgesandten Nikephors, die bei ihm eingetroffen waren, um Unterwerfung und Tribut zu fordern, hatte Pungaschij Säcke mit Dreck auf die Schultern gebürdet und sie mit Fußtritten zu ihrem Herrn zurückgetrieben. König Nikephor gab darauf eine andere Probe seines christlichen Langmuts. Er nahm die Säcke voll Dreck symbolisch als die Übereignung von Grund und Boden der Pungaschij und somit als ein Sinnbild von deren Unterwerfung an. Den Tribut, so erklärte der stolze Mann, werde er später einziehen. Pungaschij ließ höhnisch darauf erwidern: «Komm und hole ihn dir schon jetzt!» Nikephor raffte an Mannen zusammen, was von den Feldzügen gegen Siktirbey und Kantakukuruz übriggeblieben war. Ohne diese klägliche Streitmacht auch nur eines Scharmützels zu würdigen, zog Pungaschij sich mit der seinen in die Höhlen von

Arkadasch Bodrum zurück und gab sich dort einem nicht enden wollenden Freß- und Saufgelage hin, in der sicheren Zuversicht, daß die ausgezehrte Truppe des Monarchen der Belagerung bald müde werden würde.

In der Tat sah sich denn auch der König schon nach wenigen Wochen gezwungen, wieder abzuziehen. Schreckenskunde erreichte ihn aus der Hauptstadt: Mit einer Flotte von Flößen, die sie mühelos aus den Baumstämmen der transherzynischen Wälder zusammengebunden hatten, kam eine Horde wilder Waräger aus dem Norden die Halitza herabgefahren, das Land verheerend, wo immer sie ans Ufer gingen. Unter der Führung ihrer Häuptlinge Beoknoth und Boofkemund gelangten sie bald bis vor die Tore von Metropolis und schwangen bereits, heulend in ihre Schilde beißend, ihre Keulen, um die Tore einzuschlagen. Im allerletzten Augenblick gelang es Nikephor, mit seiner Streitmacht in die Stadt zu schlüpfen und sich gegen die wütigen Nordmänner darin zu verschanzen. Da ließ GOTT der Herr jenes größte aller Wunder geschehen, das den bedeutendsten aller Herrscher aus dem Hause Karakriminalowitsch endlich über alle seine Feinde siegreich machte und damit Maghrebinien als geeintes Großreich auferstehen ließ.

Noch rauchte die Asche des Scheiterhaufens, mit dem Attrakta und Panurgij in Flammen aufgegangen waren. Nikephor der Erste, Große, sah darin eine Mahnung von oben. Bevor er in die Schlacht ging, die vermutlich sein und mit ihm Maghrebiniens Ende bringen würde, wollte er Bischof Schnorri wegen seinem offenbaren Frevel zur Verantwortung ziehen. Als weltlicher Herrscher hatte er freilich keine Gerichtsgewalt über den Kirchenfürsten. Aber GOTTES Stimme gab ihm ein, den Bischof vor dem Kampf mit den Warägern vor die Kathedrale zu laden, um das Heer zu segnen. Einer solchen Aufforderung konnte Bischof Schnorri sich nicht entziehen. Selbst die Blindheit, die ihn seit dem Anblick der rasierten Attrakta befallen hatte, bot ihm dazu keinen Anlaß, da er ja trotz ihr im Amt geblieben war. Kaum hatte er sich vor die Kathedrale führen lassen und war der Asche des Scheiterhaufens nahgekommen, da stieß er einen Schrei aus und warf sich hinein: GOTT hatte ihn wieder sehend werden lassen, und alsbald wühlte er auch aus der Asche heraus, was er dort erblickt. Es war der dreischiffige Büstenhalter der Attrakta, der wundersamerweise intakt geblieben war wie ihre Jungfernschaft.

Ein Stöhnen der Erschütterung ging durch die angestaute Menge des Volkes. Einzig der König aber erkannte das himmlische Zeichen. Unverzüglich band er die Reliquie an die Spitze seiner Lanze, befahl, ein Stadttor zu öffnen, und warf sich mit wenigen Mannen in einen Ausfall gegen die belagernden Waräger. Er hatte nicht falsch gerechnet. Der Anblick des Wunderwäschestücks der Heiligen lähmte den Feind. Was die Krieger Nikephors nicht niedermachten, wurden von den gleichfalls alsbald ausschwärmenden Bürgern von Metropolis gefangengenommen. Gefesselt brachte man Beoknoth und Boofkemund in die Stadt und warf sie in den Kerker.

Die heilige Attrakta aber hatte der Schlacht von oben zugesehen. Mitleid ergriff sie mit dem blinden Recken Boofkemund, als sie ihn in Ketten sah. Sie erschien ihm nachts im Traum und trug ihm auf, vom König die Wiedergabe ihres dreischiffigen Büstenhalters zu verlangen. Als Zeugnis für die Wahrheit dieses Auftrags ließ sie ihren «Bart der Kümmernis» in seiner Hand. Boofkemund erwachte, rief nach seinen Wächtern, erzählte ihnen von seinem Traum und zeigte ihnen den Bart.

Man war inzwischen in Maghrebinien so sehr an Wunderbares gewohnt, daß die Wachmannschaft – zum Heil für Maghrebinien, wie wir heute wissen! – nicht lange zögerte, ihm zu glauben. Achselzuckend begab sich ihr Hauptmann zum König und berichtete ihm von Boofkemunds Vision. Der König unterdrückte die Bedenken seiner Ratgeber und ließ die Reliquie zu Boofkemund bringen. Sofort verschwand sie von der Spitze der königlichen Lanze. Boofkemund aber verfiel in tiefen Schlaf, in welchselben er im Traume der Attrakta den Büstenhalter wieder anlegte. Sogleich sprangen seine Ketten ab sowie auch die Beoknoths und aller übrigen gefangenen Waräger.

Damit war offenbar geworden, daß höhere Mächte die Befreiung der Waräger verlangten. Der König ließ ihnen ihre Waffen wiedergeben und ein Stadttor öffnen. Mit der Wildheit von entfesselten Bestien warfen sich die Nordlinge in die Freiheit – nur um dort mit ungeheuerlicher Wucht gegen die Streitmacht Pungaschijs anzurennen, der aus seiner Höhlenfestung von Arkadasch Bodrum ausgezogen war, um dem in Metropolis eingeschlossenen, bis zur Erschöpfung geschwächten König den vermeintlichen Gnadenstoß zu geben. Im Glauben, es handle sich um einen letzten verzweifelten Ausfall der königlichen Truppe, hieben seine Mannen auf die Waräger ein, die ihrerseits an eine Tücke Nikephors glaubten und sich wie die Löwen wehrten.

Die Begegnung verlief tödlich für Pungaschijs Heer sowohl wie auch für die wilden Waräger. Während das Volk von Metropolis, allen voran der König Nikephor, von den Zinnen der Stadtmauern das Schlachtbild überblickten, vernichteten einander die beiden Feinde gegenseitig. Boofkemund war es, der Pungaschij mit einem Keulenschlag niederstreckte, um alsbald, gespickt von Pfeilen wie der heilige Sebastian, hinzusinken in den blutgetränkten Staub. Augenzeugen bestätigten, daß er danach, in der dritten Wölbung des Büstenhalters der Attrakta wie in einer Hängematte liegend, zum Himmel aufgefahren sei.

Unerschütterliche Zuversicht in die Weisheit der göttlichen Vorsehung also war es, was Nikephor zum Gründer und Einer des Reichs und damit zum Vater Maghrebiniens und größten Ahnherrn der Karakriminalowitsch gemacht hat. Seine Tugend, der inneren Stimme zu gehorchen, welche ihm oft gegen jede kleine menschliche Vernunft den rechten Weg zu gehen gebot, wurde auch belohnt mit einem versöhnlichen Ausgang der schwelenden Feindschaft mit dem Bischof Schnorri Sturuson.

Schwerlich konnte der Kirchenfürst nach dem Wunder der Befreiung von den Warägern sowohl wie auch vom Pungaschij durch den Büstenhalter Attraktas noch seine These von ihrer und Panurgijs ketzerischem Treiben aufrechterhalten. Indem er die Heiligsprechung beider einleitete, gab der starrsinnige, aber schlaue Mann eine letzte Enzyklika heraus, in welcher er ein nachsichtsloses Vorgehen gegen alle Anwärter auf Heiligkeit verlangte. «Denn», so heißt es in diesem Hirtenbrief, «allein die Blutzeugenschaft gibt die Probe für die rechte Gottgefälligkeit. Menschlicher Befangenheit ist es verwehrt, darüber zu entscheiden, ob Einer zu GOTTES Rechten und in SEINER Nähe den Jüngsten Tag erreichen wird. Nur Feuer also und Schwert sowie das Rädern, Vierteilen und Häuten, das Steinigen, Ertränken und Ersticken legen die Schwelle zur Entscheidung, welche jenseits getroffen wird.» Der Seelenhirte belegte diese These mit einem Beispiel aus den apokryphen Schriften: «Moses, der Prophet, traf einen Mann, den er als ganz besonders gottesfürchtig kannte, im Sterben an: ein Löwe hatte ihn angefallen und fürchterlich zugerichtet. ‹O HERR!› rief Moses in seiner menschlichen Blindheit aus. ‹Warum hast Du diesen, einen DEINER eifrigsten Diener, solcher Grausamkeit ausgesetzt?› Da erwiderte der HERR: ‹Jener forderte von mir einen Rang im Paradiese, der ihm nicht zustand. ICH mußte ihm helfen, ihn zu verdienen.›»

Der Hirtenbrief löste jene große Säuberungswelle aus, welche unserem Vaterlande seinen einzigartigen Reichtum an Märtyrern aller Art beschieden hat. Aber noch bevor sie recht in Schwung kam, tat GOTT der Herr an Bischof Schnorri selbst ein sichtbarliches Wunder. Seine Begegnung mit den Kesseln und Pfannen, die er in seiner Blindheit im Kerker für die Jungfrau Attrakta gehalten hatte, blieb nicht ohne Folgen. Schnorri Sturuson fühlte sich schwanger und kam nach angemessener Zeit von neun Monden nieder. Was er entband, gab Zeugnis ab dafür, daß er im Kerkerkeller einer Blendung des Teufels aufgesessen war. Es war ein nacktes Abbild Bischof Schnorris selbst, jedoch mit Ziegenhufen, Hörnern und einem langen Schweif versehen. Anstatt aber über diese Teufelsbrut sich zu entsetzen, legte Bischof Schnorri die zärtlichste Liebe dafür an den Tag. Mit Hilfe einiger Spreewälder Ammen, die seinerzeit die Milch fürs Bad der Mutter König Nikephors, Irenes, der Tochter des Chuzpaphoros Yataganides, geliefert hatten, zog er das unerwartete Wunschkind auf und gab ihm, als ein klassisch Gebildeter, den Namen Pan. Jedoch der Kleine blieb von zwergenhaftem Wuchs, entwickelte aber ganz ungemeine Drolligkeit und einen äußerst witzigen Verstand und war bald bei allem Volk im weiten Raume Maghrebiniens zärtlich beliebt als ein einfallsreicher Quirlgeist und Scherzbold, den allerdings bisweilen auch eine Schwermut überkam, die er auf einer Syrinx in süßen Tönen von sich blies. Man liebt noch heute in Maghrebinien sein Angedenken. Jedem Kinde ist er freundlicher und schnurriger Begleiter durch die Tage des Erwachsens. Alle Welt kennt ihn bei seinem Kosenamen: Panitschju – das heißt: Der kleine Herr Pan.

MAGHREBINIEN HEUTE

VON DEN KARAKRIMINALOWITSCH ZUM REAL-ILLUSIONISMUS – VERFASST VON SEINER EXZELLENZ – DEM EHEMALIGEN STAATSMINISTER WEILAND SEINER MAJESTÄT – DES KÖNIGS NIKIFOR XIV. – MANOLE KANTAKUKURUZ – GOSPODAR UND ADELSMARSCHALL DER PROVINZ TESKOVINA SOWIE VORSITZENDER DER KOMMISSION ZUR ÜBERPRÜFUNG DER LAGE DER BAUERN – ETC. – ETC.

Zur Person des Verfassers:

Einem der erlauchtesten Bojarengeschlechter unseres schönen und sehr ruhmreichen Landes entstammend, hat der greise Aristokrat und Staatsmann, Huzule und vollendete Pariser seine glänzende Karriere als Präfekt und Kaimakam der Teskovina unter seinem leiblichen Onkel, dem Gouverneur Pungaschij, begonnen und ist bald darauf als dessen Nachfolger selbst in die hohe Stellung eines Gouverneurs und Adelsmarschalls und, in der Folge, bis zu den allerhöchsten Hof- und Staatsämtern aufgerückt. Augenzeuge eines Dreivierteljahrhunderts der jüngeren und jüngsten Geschichte Maghrebiniens, in welche er selbst in entscheidenden Augenblicken handelnd eingegriffen hat, gibt uns Seine Exzellenz davon ein höchst anschauliches Bild. Stimmen wir auch in manchen Punkten mit den geäußerten Ansichten des großen Greises nicht überein – wer darf zum Löwen sagen: «Du stinkst aus dem Maul!»

I. DER STURZ DER MONARCHIE DER KARAKRIMINALOWITSCH UND DIE MILITÄRDIKTATUR

DEN METZGER KÜMMERT DAS FETT –
DEN HAMMEL ABER DAS LEBEN.

UM ZU BERICHTEN ÜBER DIE UMSTÄNDE UND GEGEBENHEITEN, welche den Sturz des ebenso erhabenen wie beispielhaften Königshauses der Karakriminalowitsch herbeigeführt und Unordnung über unser Vaterland sowohl wie auch in die Köpfe der Untertanen gebracht haben, werde ich systematisch vorgehen, indem ich zuerst das Allgemeine, sodann aber das Spezielle behandle. Vorweg jedoch sei angemerkt, daß alle verleumderischen Behauptungen, welche von schuftigen Elementen über meine Tätigkeit und Wirkung in höchsten Ämtern in Umlauf gebracht wurden, jeglicher Grundlage entbehren. Hat ein Narr einen Buckel, so achtet keiner darauf; hat aber ein Weiser ein Bläschen auf der Nase, so verhöhnen ihn alle.

Hiermit beginne ich meinen Bericht.

Die Unruhe im Volke hatte tiefe Wurzeln. Denn hatte schon der bedeutende Monarch, Nikifor XIII. aus dem erwähnten unvergleichlichen Geschlecht der Karakriminalowitsch, sich mit westlerischen Ideen angefreundet und fortschrittliche Neuerungen eingeführt, die – wie etwa die Pflicht zur Sauberhaltung öffentlicher Straßen und Verkehrswege – das Volk aufs äußerste beunruhigten, weil keiner imstande war, den eigentlichen Sinn der Maßnahme zu erraten, und folglich die abenteuerlichsten Vermutungen aufkamen, so trieb der Sohn und Nachfolger meines königlichen Herrn, Nikifor XIV., die Dinge auf die Spitze mit der Anordnung, daß Pferden, Eseln und Kamelen, aber auch Hammeln und Hunden kleine Körbe unter den Schwanz zu schnallen seien, um unsere Städte nicht mit ihrem Dung zu verunreinigen. Dieselben aber, nämlich die Körbchen, füllten sich schnell und mußten also des öfteren entleert werden, was für gewöhnlich auf die Weise geschah, daß man deren Inhalt durch die in den warmen Jahreszeiten meist offenen Fenster in die Behausungen schmiß. Zank und Prügeleien waren die Folge.

Was aber diese Behausungen betraf, so waren sie im allgemeinen mit den durch den steigenden Wohlstand stark anwachsenden Familien bis zum Bersten überfüllt. Als Gouverneur und Adelsmarschall meiner Provinz habe ich diesem Mißstand dadurch abgeholfen, daß ich befahl, auch alles Vieh, Geflügel und Gesinde mit in die Wohnung zu nehmen. Nach einigen Wochen lockerte ich diese Verfügung, und bereits die Entfernung einer Kuh aus der Familienstube wurde als so große Erleichterung empfunden, daß die Klagen über Wohnraummangel alsbald verstummten. Mit der allmählichen Entfernung von Hühnern, Ziegen und Schafen aus den Wohngemächern erwarb ich mir sodann die aufrichtige Liebe des Volkes.

Zu jener Zeit begab es sich, daß ein Mann einem anderen begegnete, der einen Iltis, den er eben erst gefangen hatte, unter dem Arm trug. «Wohin?» fragte jener diesen. «Nach Hause», war die Antwort. «Dort nämlich tue ich den Iltis unters Bett und halte ihn bis zum Winter, um mir dann, wenn das Fell des Tieres dicht und seidig ist, ein Pelzmützchen daraus zu machen.» Jener wiederum, angewidert: «Unterm Bett?! Stinkt doch ganz fürchterlich?!» – «Iltis gewöhnt sich», war die Antwort.

Es mag dieses hier eingeflochtene Anekdötchen ein beredtes Zeugnis ablegen für die Wirksamkeit von Ordnungsmaßnahmen, welche in die beabsichtigte Neuerung die alten Überlieferungen von Sitte und Gewohnheit einbeziehen.

Die beiden – leider! – letzten Monarchen aus dem uns angestammten Hause der Karakriminalowitsch, Nikifor XIII. sowohl als auch sein Sohn und Erbe Nikifor XIV., mißachteten zugunsten westlerischer Fortschrittlichkeit den Hang des Volkes zur Tradition. Eben der erwähnten Wohnungsnot suchte bereits der dreizehnte Monarch aus jenem glorreichen Geschlecht durch Einführung der

Geburtenkontrolle abzuhelfen. Alle Bänke in öffentlichen Anlagen wurden ab neun Uhr abends streng bewacht, die Gebüsche der Gärten fleißig durchgekämmt, die Hauseingänge hell beleuchtet. Auch war die Polizei angehalten, die sogenannten «geworfenen Finger» – das ist: das Betasten weiblicher Formen im Vorübergehen – zu verhindern. Man hoffte so, zumindest den außerehelichen Kindersegen stark einzudämmen. Dies führte zur Herausbildung eines allabendlichen Wagenkorsos, der sich äußerst störend in endlosen Kolonnen stark schaukelnder Fahrzeuge mit geschlossenem Verdeck durch die Straßen der Hauptstadt Metropolsk zog. Als Nikifor XIV. auch diesen unterbinden wollte, indem er den Befehl erließ, kein Fahrzeug dürfte nach Sonnenuntergang unbeleuchtet sich auf der Straße zeigen, begaben sich die Maghrebinier enttäuscht zu ihren angetrauten Weibern zurück und schwängerten sie aus schierer Langeweile, wenn auch verdrossen, so doch so rüstig vor sich hin, daß die Bevölkerungsziffer in wenigen Jahren um beinah das Doppelte stieg.

Bedauerlicherweise gingen die Herrscher in der Anwendung ihrer fortschrittlichen Ideen dem Volke nicht immer mit überzeugendem Beispiel voran. Als Nikifor XIII. während der Campagne gegen den Geburtenzuwachs anläßlich der Ausübung seiner ehelichen Pflichten in seinem Harem von einem jähen Unwohlsein befallen wurde, sah der unverzüglich herbeigerufene Leibarzt sich zu der medizinischen Anordnung gezwungen: «Sire, verbringen Sie den nächsten Monat außerhalb des Bettes!» Seiner Majestät waren in den vorangegangenen zwei Jahren siebenhundertunddreißig Kinder geboren worden. Nikifor XIV. seinerseits, während er seine unglücklichen Maßnahmen zur Behebung der Wohnungsnot erließ, betätigte sich, einem anderen verbreiteten herrscherlichen Gelüste folgend, als Bauherr großen Stils. Wo, nicht allzu fern der Hauptstadt Metropolsk, in den entzückenden Auen von Bayram Tschiflik als Landsitz der Karakriminalowitsch die hölzernen Yalis gestanden, errichtete er mit einem ungeheuerlichen Aufwand von öffentlichen Mitteln das Lustschloß «Monpetard» – ein Name voll feinsinniger Anspielung auf die bewegte Geschichte der Dynastie ebensowohl wie auch – leider! – auf den unruhigen Geist der damaligen Zeit. Desgleichen renovierte der Monarch unter ähnlich großer Verschwendung von staatlichen Geldern die historische Veste «Craque des Coquins», ein ruiniertes Gemäuer, welches dereinst an das Gestade Maghrebiniens verschlagene französische Kreuzritter auf einer Felseninsel im Mündungsdelta unseres Schicksalsstroms, der blauen Halitza, errichtet hatten, um Seeräuberei zu treiben. In der Hauptstadt selbst, indes, begann der König mit den Arbeiten für das maghrebinische Versailles, den «Jeni Konak» der Karakriminalowitsch. Die Wahl des hierfür erforderlichen Baugeländes gab nicht nur Anlaß zu den skandalösen Behauptungen, die meinen Namen mit den schmutzigsten Affären in Zusammenhang bringen und die als abgefeimte Lügen zu entlarven ich als Edelmann von Geblüt und Sinnesprägung mir nicht die geringste Mühe nehme, sondern sie beschleunigte bedauerlicherweise auch den Sturz des Königshauses der Karakriminalowitsch.

Im Dienste einer objektiven Geschichtsschreibung schildere ich hier diese Vorgänge wahrheitsgetreu im einzelnen.

Es versteht sich, daß der Herrscher den neuen Palast an einer Stelle errichten wollte, an welcher die natürlichen Ausdünstungen einer Großstadt am wenigsten zu spüren waren. Ermittelt wurde ein Gelände, über welches für gewöhnlich ein frischer Luftzug hinging und den Gestank der Klärgruben und Kloaken angenehm zu den Wohnvierteln Minderbemittelter trieb. Ganz zufällig traf es sich, daß dieses Grundstück, kaum daß der König mir gegenüber vertraulich seine Absicht, es zu erwerben, geäußert hatte, in den Besitz meiner Familie gekommen war. Niemand wird es ungebührlich finden, daß ich, bei aller Ergebenheit für mein angestammtes Herrscherhaus und der Bereitschaft, ihm bis zur Selbstaufopferung zu dienen, für ein solches Kleinod unter den städtischen Parzellen einen angemessenen Preis verlangen mußte, den der erhabene Monarch mir denn auch alsbald mit den Worten bewilligte: «*Mein* Geld ist es schließlich nicht, du räuberisches Schwein» – ein Satz, der Zeugnis ablegt nicht nur für die urwüchsige Ausdrucksweise Seiner allerhöchsten Majestät, sondern auch – und vor allem – für die beinah familiäre Behandlung, die ich als ein Angehöriger des dem Herrscherhause stets eng verbundenen Geschlechtes der Kantakukuruz jederzeit bei Hofe erfahren durfte.

Nichts lag freilich näher, als daß mein Vetter Pungaschij gegen diesen staatlichen Ankauf Einspruch erhob. Die Gründe hierfür sind nicht nur im schäbigsten persönlichen Neide, sondern auch in der politischen Situation zu suchen. Als radikaler Konservativer befand sich Pungaschij mir gegenüber, der ich aus Gefolgschaftstreue zu Nikifor XIV., wiewohl durchaus gegen meine innerliche Überzeugung, eine fortschrittliche Richtung vertrat, in opponierender Gegnerschaft. Hatte ich nun, um die wahren Vorzüge meines Grundstücks öffentlich zu bekunden, eine Kommission von Schweizer Meteorologen ins Land berufen, welche die Windstärke und -stetigkeit über dem besagten Gelände sowohl wie auch Luftfeuchtigkeit und Ozongehalt wissenschaftlich unbestechlich objektiv messen und die Resultate veröffentlichen sollte, so nutzte Pungaschij eben diese Untersuchung propagandistisch aus, um auf dem Feuer des öffentlichen Unmuts gegen das Westlertum sein dreckiges politisches Süppchen zu kochen. Als Haupt der radikal-konservativen Opposition ließ er an allen erhöhten Stellen der Stadt Pfähle errichten, an welche geschlachtete Hammel gebunden waren. Bei der sommerlichen Hitze gingen dieselben bald in Verwesung über und erfüllten die Atmosphäre mit dem allerpeinlichsten Aasgeruch. Eben der von den Schweizern mit wissenschaftlicher Unbestechlichkeit gemessene Wind trug diesen Gestank zu meinem Grundstück, während als die relativ geschützteste Stelle sich eine andere Parzelle erwies, welche zufälligerweise sich im Besitz der Familie Pungaschij befand.

Nicht nur die Durchschaubarkeit dieses kindlich plumpen Manövers mußte mich aufs äußerste empören, sondern auch die korrupte Weise, in welcher Pungaschij es politisch auszunutzen verstand. Während ich in meinem der königlichen Tendenz der Fortschrittlichkeit nahestehenden Zeitungsblatte *«Die Weckuhr»* – durchaus gegen meine innere Überzeugung! – für die unanfechtbare Tatsächlichkeit wissenschaftlicher Ermittlungen plädierte, sprach Pungaschij in seinem konservativen Blatte *«Die Sanduhr»* sich höhnisch für den trügerischen Augen- beziehungsweise Nasenschein aus und prangerte mich nicht nur als Geschäftemacher und Ausbeuter des königlichen allerhöchsten Vertrauens, sondern auch als Renegaten an, da ich, wie er in seinem Leitartikel in der *«Sanduhr»* behauptete, in Wahrheit der ultramontansten konservativen Gesinnung und nur dem Lippenbekenntnis nach ein Fortschrittler sei – eine Anschuldigung, der ich allerdings nichts anderes entgegenzusetzen hatte als die nüchterne Feststellung in der *«Weckuhr»*, daß ich, eben als ein Konservativer, mich in den Dienst der fortschrittlichen Ideen des Herrschers gestellt, um dieselben nach Möglichkeit zu bremsen; während Pungaschij seinerseits, als eigentlicher Fortschrittler, die ultramontanen Ansichten nur vertrat, um die öffentliche Meinung zum erhitzten Widerstande gegen dieselben aufzuwiegeln.

Wiewohl diese meine Behauptung der lautersten Wahrheit entsprach, verfehlte sie – ein seltener Fall in der Geschichte politischer Enthüllungen – doch ihre Wirkung nicht. Pungaschij war einer umstürzlerischen Gesinnung überführt, was seine Stellung als Agha der Janitscharem, das heißt: als ressortmäßiger Befehlshaber der verschworen königstreuen Elitetruppe unhaltbar machte. Seinen Einfluß auf die königliche Armee gänzlich zu unterbinden war jedoch mit Rücksicht auf die erbliche Stellung der Pungaschij als *Derebegs* – das ist: Talfürsten und Kriegsanführer – nicht möglich. Auf meinen an allerhöchster Stelle eingebrachten Vorschlag hin ernannte ihn darum Seine Majestät der König zum Großmeister der Artillerie. Wie es der niedrigen Geisteshaltung meines politischen Gegners entspricht, deutete er dieses Avancement jedoch als maliziösen Akt, da er dadurch zum Vorgesetzten einer fortschrittlichen Waffengattung wurde, was sein Ansehen in konservativen Kreisen noch mehr schmälerte. Desgleichen wollte Pungaschij auch eine von mir angezettelte Perfidie in dem Umstand sehen, daß er zwar über schweres, mittleres und leichtes Geschütz verfügte, die Bespannungstiere aber, nämlich Pferde, Maulesel und Esel, sich – dank meiner ressortmäßigen Stellung als *Sirdar* der Siphahis – das ist: Befehlshaber der Reiterei – in meiner Obhut befanden. Was die Munition der Artillerie betraf, so war dieselbe, bis auf ein paar Böller zum gelegentlichen Salutschießen, vorsichtshalber in einem Kellergewölbe des Marstalls von Schloß Monpetard untergebracht und stand daher unter der Kontrolle unseres gemeinsamen Vetters Siktirbey, der als *Sandschak-Bey* – das ist: Fahnenfürst – des historischen dreischiffigen Büstenhalter-Banners der heiligen Attrakta [oder, wie die Dichter sagen: «der heiligen Zypresse im Garten des Sieges»] und Oberaufseher der *Muallem Ischkendy* – das ist: die exerzierte Hand – Burghauptmann von Monpetard war. Insbesondere diese Abhängigkeit vom Angehörigen eines Geschlechtes, welches den Kantakukuruz und den Pungaschij nur mit einigem Abstand gleichzurechnen ist, demütigte den Pungaschij auf das äußerste und verleitete ihn schließlich dazu, den Staatsstreich anzuzetteln.

Anläßlich einer Waffenübung, zu welcher ich in loyalster Art die Bespannungstiere zur Verfügung gestellt hatte, meldete ein sogenanntes «Djournal» – das ist: eine Spionagenachricht – mir in meiner Stellung als Staatsminister, daß die Geschütze des Pungaschij in höchst verdächtiger Weise auf die Pfähle mit den verwesenden Hammeln gerichtet waren. Die Nachricht war um so alarmierender, als tags zuvor das Munitionslager der Artillerie im Keller des Marstalls von Schloß Monpetard in die Luft geflogen war, jedoch mit einem so geringfügigen Knall, daß mit an Sicherheit grenzender Wahrscheinlichkeit anzunehmen war, es handle sich um einen Sabotageakt, der den Diebstahl des größeren Teils der Munition vertuschen sollte. Es war also die Möglichkeit gegeben, daß Pungaschij nicht nur unschuldige Richtübungen ausführen, sondern scharf schießen lassen würde. Ich ging nicht fehl in der Vermutung, daß er beabsichtigte, mich nach vollendetem Bombardement öffentlich anzuprangern, ich hätte seine Offiziere bestochen, einen bedauerlichen Irrtum vortäuschend, die Pfähle zu beseitigen. Ich mußte also unverzüglich handeln. Mit einer beträchtlichen Summe, welche ich vorübergehend dem Staatssäckel entnahm [und die bis auf den letzten Heller zurückzuerstatten lediglich die folgenden Ereignisse verhindert haben], bestach ich seine Offiziere in der Tat, allerdings gegen die Verpflichtung, über die Pfähle hinaus das Stadtschloß Jeni Konak zu beschießen, um so Pungaschij seiner wahren umstürzlerischen Absicht anschaulich zu überführen. Wie sich später herausgestellt hat, würden die Artillerieoffiziere sich auch an diese Abmachung gehalten haben, wenn sie eben in Wahrheit am Vortag die Munition aus dem Magazin von Monpetard entwendet hätten. Da dies aber nicht der Fall war, langte die Feuerkraft der Geschütze nicht aus, um Jeni Konak zu treffen. Es fielen in Wirklichkeit nun doch die Pfähle um. Noch bevor ich zu Hof geeilt war, um Seiner Majestät zu versichern, daß es sich bei dieser Schandtat um ein perfide eingefädeltes Täuschungsmanöver des Pungaschij handelte, sollte das bestürzte Vaterland erfahren, wer die Munition gestohlen hatte und zu welchem Zweck.

Es versteht sich, daß ich unmittelbar nach dem Umstürzen des ersten Hammelpfahles unter dem Geschoßhagel der pungaschijschen Artillerie zwei Schwadronen meiner Siphahis ausschickte, um die verantwortlichen Artillerieoffiziere zu verhaften. Zur allergrößten Überraschung sowohl meiner selbst wie auch Pungaschijs und – mit gewissem Abstand – Siktirbeys, vereinigten sich diese Leute und zogen gemeinsam vor Schloß Monpetard, wo sie sich mit den Offizieren der dortselbst stationierten Wachmannschaft zusammentaten. Niemand anderer als diese nämlich hatten die dortige Munition beiseite geschafft, um den Militärputsch durchzuführen. Unter der Devise «Kampf den zänkischen und korrupten Greisen», mit welchen Pungaschij und ich sowie – mit einigem Abstand – Siktirbey gemeint waren, bemächtigte sich eine Junta von jungen Kommandeuren der Regierungsgewalt und zwang Seine Majestät den König zur Unterzeichnung eines Dokuments, welches, bei gleichzeitiger Ausrufung des Ausnahmezustandes und Standrechts, ihnen jegliche Verfügungsfreiheit in allen Staatsgeschäften übertrug. Pungaschij, Siktirbey und ich wurden verhaftet und in die Grenzfeste Castrocaramba gebracht, wo wir in den folgenden Jahren Gelegenheit haben sollten, die Ereignisse in allen Einzelheiten zu rekonstruieren und an Hand von ihnen die Schuldfrage zu erörtern.

Von den neuen Machthabern aber wurde das «Neue Maghrebinien» ausgerufen und mit dem Nachdruck der bewaffneten Hand zur Wirklichkeit gebracht. Die allererste Maßnahme der hauptsächlich aus *Tschjorbaschi-Baschis* – das ist: Obersten – und *Oda-*

Baschis – das ist: Majoren – zusammengesetzten Militärjunta verfügte, daß ihre bisherigen Vorgesetzten pensioniert beziehungsweise ihres Amtes enthoben, sie aber in gegenseitiger Ernennung zu *Begler-Beys* – das ist: Feldmarschällen – beziehungsweise zu *Sandschak-Beys* – das ist: Generalen – befördert wurden. Entsprechend rückten gerechterweise die unteren Chargen auf. Die Hauptleute und Oberleutnants wurden Oberste und Majore, die Leutnants und Fähnriche Hauptleute. Ein reicher Ordenregen ließ mit den Brüsten dieser Männer auch ihr Selbstvertrauen schwellen. Der Sold der Truppe wurde verdoppelt, derjenige der Offiziere verdreifacht. Man gewann die hierfür erforderlichen Mittel durch eine strenge Inspektion der *Munlis* – das ist: der Reserve-Armee der sogenannten abkömmlichen Leute –, deren Militärbefreiungssteuer man stark erhöhte. Weil nun begreiflicherweise jedermann danach strebte, Offizier zu werden, rundete eine vorläufige Sperre der Aufnahme ins Offizierscorps diesen ersten Regierungsakt logisch ab.

Nach solchem Auftakt – oder, wie es im Sprichwort heißt: Ein Hufeisen hätten wir; es fehlen uns nur noch drei andere und der Esel – machte sich die Militärregierung an soziale Aufgaben. Zum großen Jubel der Bevölkerung wurde der vom Finanzminister Kleptomanowitsch eingeführte Zwang zur Buchführung wieder abgeschafft. Es hatte dieser Zwang einer besseren steuerlichen Erfassung dienen sollen, in Wahrheit aber zu einem argen Bildungsnotstand in Maghrebinien geführt. Denn da man bekanntlich zur Buchführung lesen und schreiben sowie ein wenig rechnen können muß, hatten die Maghrebinier, um der steuerlichen Erfassung zu entgehen, ihre Söhne nicht mehr in die Schule geschickt. Berühmt geworden ist der Fall eines Jünglings aus Sadagura, der sich wegen seiner wunderschönen Stimme für das Amt des Tempelsängers dortselbst gemeldet hatte, die Stellung aber nicht erhielt, weil er weder lesen noch schreiben konnte: er wanderte aus nach Amerika und brachte es dort zu einem gewaltigen Vermögen und hervorragendem Ansehen. Anläßlich der Unterzeichnung eines Dokuments, welches ihn als Kandidaten für die Präsidentschaft der Vereinigten Staaten installierte, mußte er bekennen, daß er weder imstande war, das Schriftstück zu entziffern, noch seinen Namen in leserlichen Buchstaben darunter zu setzen. «Wie?!» rief man allerseits in äußerstem Erstaunen aus. «Ein so hochbegabter Mensch und Analphabet?! Was wäre aus ihm geworden, wenn er hätte lesen und schreiben können?!» – «Das», so erwiderte unser Freund, «will ich Ihnen sagen: Tempelsänger in Sadagura.»

Auch den Kampf gegen die physische Armut nahmen die revolutionären Offiziere mit Nachdruck auf. An allen Straßenecken wurden die riesigen Suppenkessel der nun endgültig aufgelösten Gardetruppen der Janitscharen aufgestellt und deren traditionelle Kuddel- und Kaldaunensuppe *Milli Tschembe Tschjorbaschji* kostenlos an die Bedürftigen verteilt. Die Ingredienzien für dieses Volksgericht wurden von den Begüterten eingetrieben, denen man brennende Strohpuppen in die Fenster schleuderte, wenn sie sich dieser Pflicht nicht freudig unterzogen. Dies fand so ungeteilten Beifall bei der mittellosen Bevölkerung, daß es häufig zu Murren und anderen Kundgebungen öffentlichen Unmuts kam, wenn ein Fettring in der Suppe zu sehen war, weil die Bedürftigen dann um das Schauspiel eines brennenden Palastes gebracht waren. Ob mit Fettring und ohne Feuerzauber oder umgekehrt, jedenfalls hatte jeder Bürger, der einen Löffel von der Suppe zu sich nahm, zu salutieren und die Nationalhymne zu singen.

Das Salz zur Suppe kam aus den Beständen der Armee. So großzügig gingen die Köche damit um, daß der Name der Suppe alsbald für reinstes weißes Salz verwendet wurde, so daß zum Beispiel bei einem Streit zwischen einer Griechin und einer Äthiopierin, die Griechin kaum ausgesprochen hatte: «Ich bin ein Kampferstück und du bist ein Sack Kohlen!», als sie gleich zur Antwort erhielt: «Ich bin eine Muskatnuß, du aber eine *Milli Tschembe Tschjorbaschji!*» – nämlich: ein Sack voll Salz. Auch erzählte man sich, da niemand wagte, die Suppe öffentlich schlecht oder versalzen zu nennen, allerlei verkleidete Geschichten, zum Beispiel: Ein Mann schenkte einem andern ranzigen Nugat und schrieb dazu: «Du wirst ihn genießen: Die Nüsse kommen aus Anatolien, der Safran aus Ispahan, der Honig aber vom Berge Athos selbst.» Der Empfänger schrieb zurück: «Bei

Gott dem Gerechten, dein Nugat ist ein großes Wunder: Die Nüsse zu ihm wurden gelesen, als Anatolien noch nicht besiedelt, der Safran geerntet, als Ispahan noch nicht gegründet und der Honig gewonnen, als die Biene noch nicht erschaffen war.»

Immerhin sorgte die erste Militärregierung für Neuerungen auch auf dem Gebiet der Rüstung unserer stets sieg- und glorreichen Armee. Einer augenblicklich auszuführenden Verordnung zufolge wurde der *Püskül* – das ist: die von jeglicher maghrebinischer Kopfbedeckung, ob Fes, Katschjula, Turban oder Papacha, niederbaumelnde Fransenquaste – um eine Daumenlänge gekürzt, da es sich erwiesen hatte, daß dieselbe bei vorangegangenen Feldzügen oft störend über das Auge Zielender gefallen war. Es war dies eine unmißverständliche Geste gegen den Erbfeind Bajufistan, der auch alsbald mit entschiedener Gegenaufrüstung erwiderte. Das Vertrauen in die starke Hand der neuen Regierung wurde dadurch sehr gefestigt. Im übrigen sprachen die Geschichten, welche damals in Umlauf kamen, ein allgemeines Gefühl der zuversichtlichen Ergebenheit des Volkes aus. Man erzählte sich zum Beispiel vom Freunde eines zweifelhaften Propheten, der hämisch fragte: «Wie kannst du beweisen, daß du mit höheren Gaben ausgestattet bist?» und zur Antwort erhielt: «Auf das einfachste: Du bist auf einem Auge blind. Ich reiße dir auch noch das andere aus, dann bete ich zu Gott, daß er dich wieder sehend mache . . .» – «Dank, vielen Dank!» rief darauf rasch der Zweifler. «Ich glaube dir gern, daß du ein Abgesandter Gottes bist.»

Bedauerlicherweise jedoch war das Militärregime, dessen entschlossenem Auftreten eine gewisse Sympathie entgegenzubringen die gebildeten Kreise des Landes sich nicht zu verkneifen vermochten, wirtschaftlich nicht auf gesunde Basis gestellt. In fester nationaler Haltung verfraß man das Volksvermögen. Die *Milli Tschembe*

Tschjorbaschji wurde immer dünner, die abzubrennenden Paläste wurden immer rarer, und selbst das Salz der königlichen Armee erwies sich bald als knapp. Zudem waren mit den westlerischen Ideen auch solche der politischen Linken nach Maghrebinien gedrungen, und es gor im Untergrunde von revolutionären Brüderschaften und Geheimgesellschaften in der Art der Carbonari, der irischen Fenians, Philhellenen, Babouvisten und Dezembristen, deren Ideengut sich mit den alten Gedankengängen der Klepheten und Armatolen verschmolzen hatte. Seine Majestät der König Nikifor XIV., entsprechend der Tradition des Hauses Karakriminalowitsch ein Monarch, den keinerlei moralisches Vorurteil gehindert haben würde das politisch Richtige zu erkennen und in die Wege zu leiten, auch wenn es seinen persönlichen Überzeugungen widersprach, hätte sich zweifellos gern dieser zwar untergründigen, doch starken Kräfte bedient, um die Nation aus dem stagnierenden Tümpel der Generalswirtschaft herauszukanalisieren. Jedoch war der Unmut der Konspiranten ausdrücklich gegen die Monarchie gerichtet. Es blieb also dem Souverän keine andere Wahl, als die jüngeren Offiziere der deklarierterweise königstreuen Armee zu einem neuerlichen Staatsstreich zu ermutigen. Da die neuen Kräfte der Nation sich nur zu bald verschlissen hatten, setzte man das Vertrauen in die jungen.

Wiewohl die gegenwärtig regierenden Feldmarschälle und Generale das dreißigste Lebensjahr kaum überschritten hatten, erklärten die zu Obersten und Majoren aufgerückten ehemaligen Leutnants und Fähnriche sie zu alten Trotteln, deren volksgefährdende Vergreisung der unseren – nämlich der in Verbannung befindlichen Staatsleute der älteren Generation – in nichts nachstand. Indem sie sich mit bewaffneter Hand der Staatsgewalt bemächtigten, riefen diese Heißsporne anstatt des «Neuen» nunmehr das «Junge Maghrebinien» aus. Die bisherigen Machthaber wurden infam kassiert und wegen Verkalkung, Fahnenflucht und Sabotage vors Kriegsgericht gestellt. Wo man sie nicht nach dreiminütiger Verhandlung auf der Stelle füsiliert, wurden sie zu lebenslanger Haft in den Tropfsteinhöhlen von Arkadasch Bodrum verurteilt. Sodann ernannten sich die Obersten und Majore der jungen Junta gegenseitig zu Feldmarschällen und Generalen, ihre Hauptleute und Leutnants aber zu Obersten und Majoren, die Fähnriche endlich zu Hauptleuten. Der Sold der Truppe wurde neuerlich verdoppelt, derjenige der Offiziere verdreifacht. Auch hatte die zweite Junta in vorsorglicher Bereitschaft eine wichtige Maßnahme zur Aufrüstung der Armee nicht nur als moralische Investition, sondern auch als kriegerisches Instrument. Ab sofort wurde befohlen, den Karabinern, Revolvern und Pistolen sowie dem kleineren Geschütz Kimme und Korn vom Lauf zu feilen, um so das langwierige Zielen zu ersparen und die Feuerkraft der Truppe damit um ein wesentliches zu erhöhen. Diese entschlossene Gebärde führte zur Teilmobilisierung in Bajufistan. Das Vertrauen in die aufrechte Haltung der neuen Regierung hatte also seinen guten Grund. Eine Woche lang wurden in den Straßen der Hauptstadt Metropolsk sowie in den übrigen bedeutenden Städten und Marktflecken des Landes Milch, Honig, Rahat Lüküm, Kichererbsen und Jungfernbart kostenlos an die Bevölkerung verteilt, sodann kehrte man spartanisch wieder zu den Suppenkesseln der *Milli Tschembe Tschjorbaschji* zurück.

Hier nämlich, an eben jenen Kesseln, bewies die neugebildete Regierung des «Jungen Maghrebinien» auch ihre Weitsicht in sozialen Fragen und löste auf geniale Weise ein bereits seit langem diskutiertes Problem. Die großzügige Verteilung von Lebensmitteln an die arme Bevölkerung, auch der übermäßige Genuß von aufreizendem Salz, waren nicht ohne Folgen geblieben, und der Geburtenüberschuß hatte neuerlich auf erschreckende Weise zugenommen. Es wurde daher verfügt, der *Milli Tschembe Tschjorbaschji* nunmehr aus den Beständen der Armee an Stelle des Salzes möglichst viel dämpfendes Soda beizusetzen. Der Geschmack der Suppe wurde dadurch neuerlich interessant, die aphrodisierende Wirkung des Salzes jedoch aufgehoben. Allerdings erwies sich der Nährwert als sehr gering, so daß die Bevölkerung bald dazu überging, in den mit Soda-Laugen gefüllten Kesseln die sogenannte Stück- oder auch «große» Wäsche, nämlich Bettzeug,

Badetücher und dergleichen, zu waschen. Die von der zweiten Militärregierung ausgegebene Devise: «Wer wenig ißt, kann täglich essen!» wurde durch den vaterländischen Spruch ersetzt: «Ein leerer Darm hält das eigene Nest sauber!»

Es versteht sich jedoch von selbst, daß die Armee, als einzige und letzte Ordnungsstütze im Staate, von dieser allgemeinen Verknappung der Versorgungsmittel ausgenommen war, so daß, um einen Teil der heranwachsenden männlichen Jugend vor dem Verdarben zu bewahren, die Sperre der Aufnahme ins Offizierscorps vorübergehend aufgehoben wurde. Es rückten also den jungen Offizieren eine Generation noch jüngerer Offiziersanwärter nach. Um das durch die Pubertät gefährdete Selbstbewußtsein dieser Blüten der Nation zu festigen, waren die Zivilisten angehalten, ein Schwämmchen im Gürtel zu tragen, damit sie, sollte ihnen das Mißgeschick widerfahren, beim Beiseitetreten einen der jungen Helden mit Kot zu bespritzen, gleich das Mittel bei der Hand hätten, die Besudelung wieder abzuwischen.

Wiewohl die immer bedrohlicher werdende Spannung zwischen unserem Vaterlande und dem Erbfeind Bajufistan eine opferwillige nationalbewußte Haltung zur Ehre jedes Bürgers machte, war die Zufriedenheit mit der zweiten Militärregierung doch nicht so groß, wie deren führende Persönlichkeiten vielleicht erwartet hatten. Die zunehmende Großmannssucht der immer jünger werdenden Militärs reizte das Volk und forderte seinen Spott heraus. Sah man einen dieser Milchbärte in Uniform mit den Rangabzeichen eines Obersten einherstolzieren, so flüsterte man sich augenzwinkernd die Redewendung zu: «Das Huhn sah die Trappe und hat sich den Arsch zerrissen.» Die geheimen Bruderschaften der Linken verteilten Flugschriften unter so durchsichtigen Überschriften wie etwa: «Sie wachen nicht, sie schanzen nicht, sie stürmen nicht – und doch ernährt sie Gott!», und Dompropst Theesenieter, der als zweibänderiger Burschenschaftler gegenüber allen freiheitlichen Bestrebungen von Bruderbünden in Begeisterung geriet, wählte zum Thema seiner

Bußtagspredigt Luthers Flugblatt: «Ob Kriegsleut auch im seeligen Stand sein können?»

Es war in diesem unglücklichen Augenblick, als Nikifor XIV. den Schritt tat, der ihn als den letzten Monarchen aus dem glorreichen Herrscherhause der Karakriminalowitsch in die Geschichte eingehen lassen sollte. Die unbändige Liebe Seiner Majestät zu dero Volke veranlaßte den geprüften Souverän den Ausweg aus der drohenden wirtschaftlichen Katastrophe in einer Wiederberufung des ehemaligen Finanzministers Kleptomanowitsch zu suchen. In Eilmärschen wurde der überragende Volkswirt aus den Kasematten von Castrocaramba zurück in die Hauptstadt Metropolsk gebracht und dort unter Androhung ausgesuchter Foltern auf seine Pflicht verwiesen, die Sanierung der Staatsfinanzen so schnell wie möglich vorzunehmen.

Nur mit Mühe gelang es Kleptomanowitsch, die militärisch unumwunden denkenden Führer des «Jungen Maghrebinien» davon zu überzeugen, daß eine solche Sanierung durch eine weitere Erhöhung der Militärbefreiungssteuer allein nicht durchzuführen war. Es wurden also unverzüglich, neben der Kopf- und Grundsteuer und einer Erbschafts- sowie Verkaufssteuer, auch eine solche für den Luxus des Zivilistenstandes eingeführt. Die Suppenkessel der *Milli Tschembe Tschjorbaschji* verpachtete man an private Unternehmer als Waschanstalten. Die aufgelöste Truppe der Janitscharen wurde zu öffentlichen Aufgaben von besonderer Verantwortung neuerlich zusammengefaßt. Verstärkt um eine Anzahl von amnestierten Straßenräubern und Erpressern, bildeten sie fortan die Einheit der sogenannten «Steuerpartisanen» und machten sich als Zöllner, Fiskalspitzel, Keller- und Stallschnüffler ums Vaterland verdient. In Maghrebinien erzählte man sich indes die Geschichte vom weisen Kadi:

Eine Frau, die eben erst verwitwet war, klagte dem Kadi ihr Leid: «Mein geliebter Mann ist tot. Er hinterließ mir seine beiden Eltern, drei Söhne und vier Töchter, die ganze Dienerschaft und nur ein sehr, sehr geringes Vermögen.» – «Gib es mir», sagte der Kadi, «sonst kommt zu all dem Unglück auch noch der Streit in der Familie hinzu!»

In der Tat führten die zwar notwendigen, aber psychologisch äußerst ungelegenen Maßnahmen des Finanzministers Kleptomanowitsch nicht nur zu einer spürbar steigenden Unzufriedenheit der Bürger unseres schönen und sehr ruhmreichen Landes sowie zu einer immer üppigeren Blüte all jener Geheimgesellschaften und Tugendbünde der untergründigen Linken, welche schließlich zum Sturz der Monarchie und zur Vertreibung unseres angestammten Königshauses drängen sollten; sondern auch zu einer Infiltrierung der jüngeren Ränge der bislang unverbrüchlich königstreuen Armee mit eben deren – nämlich der Jakobiner – zuchtlosen und wirr freiheitlichen Ideen.

Ohne unmittelbar Gewalt anzuwenden, vielmehr, indem sie die offizielle Verjüngungstendenz klug ausnutzten, war es einer Gruppe ganz junger, zu Obersten und Generalen aufgerückter Kadetten gelungen, die zu Feldmarschällen beförderten Majore der zweiten Militärjunta zu verdrängen und das Heft der Macht selbst in die Hand zu bekommen. Führer dieser kaum dem Knabenalter entwachsenen Feuerköpfe war ein gewisser General Marodi, dem insbesondere der cagliostrohafte Wirtschaftsminister Kleptomanowitsch wegen seiner zauberkünstlerisch undurchschaubaren Finanzmanipulationen ein Dorn im Auge war.

Kleptomanowitsch hatte nämlich, um Handel und Wandel wieder in Gang zu bringen, sich in eine verzweifelte Anleihe-Politik gestürzt. Mit Hilfe des bekannten Makler-Hauses Oelgiesser Ltd., New York, und der moralischen Unterstützung der britischen Labour Party war, um bares und flüssiges Geld ins Geäder der maghrebinischen Wirtschaft zu pumpen, das Finanzinstitut der Anglo-Maghrebinian-Bank gegründet und in einem stolzen Gebäude nah an der Überschneidung der beiden Hauptstraßen von Metropolsk, der Kalea Pungaschijlor – das ist: die Straße der Taschendiebe – und der Schosséa Hotzilor – das ist: der Boulevard der Beutelschneider – [unweit vom berühmten Restaurant «Tschina» – das ist: das Abendmahl – des Gastwirts Schorodok sowie der großen Kathedrale Hagia Sophistia] untergebracht worden. Es war öffentliches Geheimnis, daß die Geldgeber hatten durchblicken lassen, ein Kurswechsel der obersten Staatsführung Maghrebiniens zu demokratischeren Richtlinien hin sei Grundbedingung ihrer Unterstützung. Ganz allgemein deutete man das als eine Spitze gegen die Monarchie. Dies war Wasser auf die Mühlen Marodis.

In einer sensationellen, anläßlich der alljährlichen Osterparade vor dem König an die Truppe gehaltenen Rede stellte der jugendliche Regierungschef fest, daß weder das «Neue», noch das «Junge Maghrebinien» seiner Vorgänger den Erwartungen des Volkes, geschweige denn der heranwachsenden Generation entsprochen hatten. Rückständigkeit, Schlendrian und Korruption, die neuerliche Unterwanderung der vaterländischen Wirtschaft durch ausländische Plutokraten und inländische Plusmacher erforderten, daß die Nation von Grund auf neu geschaffen, ja überhaupt erst geboren werde. Damit rief General Marodi das «Ungeborene Maghrebinien» der sogenannten *Fötokraten* aus.

Saboteure und Verschwörer wurden nunmehr als «Engelmacher des Vaterlandes» gebrandmarkt und nicht nur wegen Hoch- und Landesverrates, sondern auch wegen versuchter Staatsabtreibung vor Gericht gestellt, während die jungen Gefolgsleute Marodis sich stolz als «Hebammen der Nation» bezeichneten. Kleptomanowitsch kam in die Oubliettes des «Craque des Coquins». Alle Offiziere über achtzehn Jahre wurden pensioniert, alle Soldaten über vierundzwanzig in Invaliden-Regimenter gesteckt. Wegen der angespannten Finanzlage wurde der Sold der Armee nicht weiter erhöht; dafür an die als Nachwuchs heranzubildenden Kadetten je ein Beutelchen mit Murmeln verteilt. War für die Angehörigen des Heeres schon das geringste Anzeichen von Bartwuchs eine Schande, welche der Ehrlosigkeit der Vergreisung nahekam, so wurde für Zivilisten die Bartsteuer eingeführt und von den ehemaligen Janitscharen auch bei rasierten Männern nach der Dichte und Nachwuchsfreudigkeit der Stoppeln fiskalisch erfaßt und eingeschätzt.

Die inzwischen vollzogene Generalmobilmachung in Bajufistan sowie der Aufmarsch der erbfeindlichen Truppen an der gemeinsamen Grenze machten es unmöglich, sich der Willkür dieser dritten und letzten Militärjunta zu widersetzen. Wo es galt, den alten Neidern unserer nationalen Größe trotzig die Stirn zu bieten, da mußte jeder innenpolitische Hader schweigen. Vor allem des Monarchen Pflicht gebot, im Augenblicke der Gefahr seinen Paladinen nicht in den Arm zu fallen. Seine Majestät war übrigens als ein zwar rüstiger, immerhin aber schon ein wenig angekahlter Mittdreißiger auf das schwerste kompromittiert. Also geschah es mit schweigender Billigung des Königs Nikifor XIV., daß Kleptomanowitsch wieder nach Castrocaramba zurückverbannt und die Maßnahme ergriffen wurde, die Goldbestände der Anglo-Maghrebinian-Bank staatlich zu konfiszieren.

Es hatte aber die Maklerfirma Oelgiesser Ltd., New York, zum Schutze der Anglo-Maghrebinian-Bank zu Metropolsk den aus Köln am Rhein gebürtigen und zu Pinkerton, New York, übergewechselten ehemaligen Scharmützelführer der Deutschen Waffen-SS, Adrian Klingelpütz, engagiert. Scharmützelführer Klingelpütz, ein entschlossener Charakter, hatte im Dienste Pinkertons bei Tombstone im Staate Arkansas die berüchtigten Gebrüder Ketchum zur Strecke gebracht sowie bei Deadwood, Texas, die Gangsterbande der Terrible Touhys unschädlich gemacht; er trank zum Frühstück den Mokka nicht manierlich aus einem kleinen Täßchen, sondern aus einem Pferdeeimer und so steif, daß auf der Oberfläche ein Hufeisen zu schwimmen vermochte. Auch besaß dieser harte Mensch in dem auf den Mann dressierten Wachhund Konrad einen starken Helfershelfer. Es war also nur natürlich, daß – als General Marodi mit den Seinen die Marmorhalle der Anglo-Maghrebinian-Bank betrat und sich Scharmützelführer Adrian Klingelpütz mitsamt dem Wachhund Konrad gegenübersah – die beabsichtigte Beschlagnahme der Goldbestände nicht zustande kam. Vielmehr trieb Scharmützelführer Klingelpütz den General Marodi mit seinen Leuten höchst autoritär mit Ohrfeigen und Fußtritten zur Bank hinaus.

Die vor dem Bankgebäude angestaute Menge der Gaffer mißdeutete diese Züchtigung des jugendlichen Regierungschefs als seine bereits erfolgte Absetzung. Aufwühlerische Elemente der Linken nutzten die Verwirrung aus und riefen auf zur Revolution. König Nikifor XIV., von Panik ergriffen, raffte mitsamt dem Kronschatz auch die Restbestände an Bargeld und Wertpapieren in der Staatskasse zusammen und floh nach Acapulco in Mexiko. In Metropolsk wurde indessen die Republik ausgerufen. Damit endete die Herrschaft der glorreichen Dynastie der Karakriminalowitsch, welcher durch ein Jahrtausend aufopfernd gedient zu haben der Stolz der Edelsten des Landes ist, allen voran der Kantakukuruz und der Pungaschij sowie, wenngleich mit geringem Abstand, auch der Siktirbey.

II. DER MAGHREBINISCHE SOZIALISMUS – ODER GENAUER: DER ANARCHO-MANIPULISMUS

SCHENKE DEM ARMEN EINE GURKE:
GLEICH KLAGT ER: «SIE IST KRUMM.»

DAS «UNGEBORENE MAGHREBINIEN» DER FÖTOKRATEN BLIEB also ungeboren, und die begeisterte Menge schwelgte in der Erwartung, daß die bislang unterdrückten Idealisten der volksverbundenen Linken die Nation in einen Zustand vor der Erbsünde versetzen würden. Zur Schöpfung des «Paradiesischen Maghrebinien» kamen die Bruderschaften und Bünde, Clubs und Geheimgesellschaften, nämlich die Apostelbrüder der «Schwarzen» sowie der «Grauen Hand», die «Männer der Entscheidung» und «Spontan-Voluntaristen» mit dem Schlachtruf «Irgendwie irgendwas!», der «Kampfbund für ausgleichende Ungerechtigkeit» [«Raubt das Geraubte!»], die Kutzo-Konfusionisten und die Praeterpropter-Männer [als Vorläufer der Daumenpeilerbewegung] zu einem Verfassungsgebenden Volkskongresse in Metropolsk zusammen. Monatelang wurde die Verfassung des irdischen Paradieses diskutiert. Das Resultat war, kurz gefaßt, das Folgende:

Artikel I. des Maghrebinischen Grundgesetzes lautet: «Töte, aber mache kein Gesetz.» Die Freiheit des Maghrebiniers ist damit ebenso summarisch wie genau umrissen. Da im Paradiese ohnehin niemand zu sterben braucht, fällt die blutige Alternative des Satzes fort. Auf dem Verordnungswege wurden ferner Uhrzeit und Kalender abgeschafft. Der peinigenden Zeitmessung durch Maschinen setzte man einen natürlichen Zeitbegriff entgegen. «Der Bauch sei unsere Uhr!» hieß die Parole, unter welcher die Nation fortan ihren Tageslauf regelte.*

Die vaterländische Kuddelsuppe der Militärregierungen wurde als jämmerliches und beleidigendes Almosen ans Volk erklärt und durch den «Großen Bakschisch aller an alle» ersetzt. Es hatte zwar nicht jeder Maghrebinier geradezu ein Anrecht auf Güter und Besitz eines jeden andern, wohl aber auf deren Nießnutz. Darüber hinaus ward bei Liebesmählern, welche die Begüterten den Unbemittelten zu geben hatten, auch noch das sogenannte *Disch-Kirasi* – das ist: das «Zahngeld» – verlangt, eine Steuer für die Abnutzung der Zähne des Essenden. So war der Gegensatz von arm und reich bald aufgehoben, und in Maghrebinien kam das Sprichwort auf: Wenn der Dieb und der Bestohlene gemeinsame Sache machen, bringen sie schließlich das Kamel durchs Nadelöhr. Die Bürger des «Paradiesischen Maghrebinien» trugen den Kuschok – das ist: die Lammfellweste der Maghrebinier – fortan umgekehrt, nämlich mit den Knöpfen zum Rücken. Dadurch war jeder auf die Hilfe des andern angewiesen, wenn er sein Gewand öffnen beziehungsweise schließen wollte: ein Symbol für die Abhängigkeit des einzelnen von der Allgemeinheit aller. Man trieb die Brüderlichkeit so weit, sogar die maghrebinische Vendetta, bislang ein Vorrecht der erlauchten Bojarengeschlechter der Kantakukuruz und der Pungaschij sowie, mit einigem Abstand, auch der Siktirbey, zu sozialisieren, indem man alle Weiber des Landes zum Gemeinschaftsbesitz erklärte, die Eunuchen der Harems sowie passive Päderasten einbegriffen. Die Einehe wurde als Egois-

* Lediglich den Moslime blieb es gestattet, Beginn und Ende ihrer Fastenzeit während des Monats Ramadam mit Hilfe eines weißen und eines schwarzen Fadens zu messen: Konnte man die beiden Fäden voneinander unterscheiden, so war die Sonne aufgegangen, der Tag hatte begonnen und damit das Fasten; verschwammen die beiden Fäden zu einem einheitlichen Grau, so war die Sonne unter dem Horizont und ein Imbiß gestattet.

mus verdammt. Weil aber Freiheit in Maghrebinien herrschen sollte, war das Zölibat gestattet.

Die wirtschaftliche Alchemie, alle Produktionsmittel zu Genußmitteln zu verwandeln, die zur Verteilung an alle kamen, ging freilich nicht ohne eine straffe Organisation vor sich. Jede Mahala – das ist: ein Stadtbezirk – erwählte ihren sogenannten Volks-Pascha –, der von den Einkünften der Arbeitenden alles Nötige für die Nichtarbeitenden einkaufte und an sie verteilte. Das führte allerdings sehr bald zur Einstellung aller produktiven Arbeit. Man wartete darauf, gefüttert zu werden wie im Paradiese und mäkelte auch noch an der Bedienung herum. Denn da die Volks-Paschas ihr Amt ehrenhalber versahen, wollten sie auch möglichst viel Ehre dafür haben und gaben sich eine ungemeine Wichtigkeit, indem sie ihre Organisation aufs äußerste komplizierten. Bald hieß es von ihnen: «Sie geben uns mit dem Löffel zu essen und stoßen uns mit dem Stiel das Auge aus.» Aber Undank ist des Menschen Natur. Heißt es doch bereits vom Esel, daß, als man ihm das Paradies versprach, er mißtrauisch fragte: «Gibt es dort auch Disteln?»

Um eine durchaus gerechte Verteilung der Güter zu erzielen, wandte sich der Erste Verfassungsgebende Volkskongreß an die Weisen des Landes und forderte sie auf, nach ihrem Wissen beizusteuern, wie eine solche zu gewährleisten sei. Als Vorbild für eine wahre Gerechtigkeit zitierte man den Herrscher, welcher seiner Gattin verboten hatte, eine gewisse Menge von Moschus genau zu gleichen Teilen abzuwiegen und ans Volk zu verteilen. «Denn», so hatte jener weise und gerechte Fürst gesagt, «du wirst dir beim Wiegen das Haar aus der Stirne streichen und dabei den Duft des Moschus genießen. Ich aber dulde es nicht, daß du auch nur diesen Vorteil vor meinen andern Untertanen hast.» Es meldete sich aber der Hodscha Nassr-ed-Din-Effendi und behauptete, daß er die gerechteste Verteilung der irdischen Güter gefunden habe, und als man ihn fragte, wie sie sei, antwortete er: «Nach GOTTES Art.» Als man ihn aber fragte, wie das sei, verlangte der Hodscha zehn Säcke voll Pistazien, um sie nach der Art des Schöpfers zu verteilen. Man brachte sie herbei, und Hodscha Nassr-ed-Din gab einem eine einzelne Pistazie, einem andern eine Handvoll, einem dritten drei Pistazien, einem vierten einen ganzen Sack. Sieben Säcke aber behielt er für sich. Und als man ihn dafür als einen Schwindler schlagen wollte, rief der Hodscha: «Habe ich nicht getan wie GOTT selbst? ER verteilt nach SEINEM Ratschluß, und der ist unerforschlich!»

Von dieser Parabel des weisen Hodschas überzeugt, verzichtete nun auch der Erste Volkskongreß darauf, eine bessere Methode der gerechten Verteilung auszuarbeiten und überließ das Wenige, was noch vom Volksvermögen übriggeblieben war, der Willkür eines jeden, der es verwalten wollte. Bedingung war lediglich der Nachweis, daß es verwaltet wurde, gleichgültig zu welchem Ende. In Maghrebinien aber faßte man die verwirklichte Nächstenliebe der Brüderlichkeitsprediger in dem Satz zusammen: «Mein Bart brennt! schreit einer. Ich zünde mir daran meine Pfeife an, erwidert der andere.» Der Erste Verfassungsgebende Volkskongreß kam überdies zur Einsicht, es liege dem Volke weniger daran, daß jeder gleichviel *habe* wie der andere, sondern vielmehr, daß er gleichviel *sei*. «*Wohl* sein ist wenig, *was* sein ist alles!» war die Parole. Um diesen Zustand zu erreichen, wurde die gesamte Nation in den erblichen Adelsstand erhoben. Es kleideten sich nun die Maghrebinier mit größter Sorgfalt, stickten sich Kronen in die Hemden, sprachen sich gegenseitig mit gezierter Rede an, spuckten durch einen Ring von Daumen und Zeigefinger, indem sie den kleinen Finger anmutig abspreizten, und sagten «Pardon!» noch bevor sie einander auf die Zehen traten. Der Adel des Landes aber, allen voran die Kantakukuruz und die Pungaschij sowie, wenngleich mit einigem Abstand, auch die Siktirbey, bewegte sich fortan in Lumpen und mit nackten Füßen und schnauzte sich gegenseitig an wie Müllkutscher, so daß, als die gesellschaftlich nach oben Strebenden alsbald dazu übergingen, sie nachzuahmen, eine Rüpelei in Maghrebinien um sich griff, gegen die ein Goldgräberdorf in Alaska wie ein Damenkränzchen gewirkt haben würde. Römische Patrizier wie etwa die Colonna und Orsini sowie, wiewohl mit einigem Abstand, die

Ruspoli, schickten ihre Söhne, wenn sie es zur Meisterschaft im Umgangston von Trastevere gebracht hatten, nach Maghrebinien, um hier den letzten Schliff zu kriegen. Das Mißtrauen gegen Politiker aber wuchs in Maghrebinien so sehr an, daß eine Firma, die mit Elektrogeräten handelte, gewaltige Geschäfte machte mit einem Fernsehapparat mit eingebautem Scheibenwischer, um die Spucke wegzuwischen, wenn den Televisoren ein politischer Vortrag oder das Programm im ganzen nicht gefiel.*

* Wir, nämlich die Herausgeber der vorliegenden Festschrift, ersuchen den geneigten Leser um Verständnis für die Bitternis des großen Greises, der in seinem langen politischen Leben so manchen Wandel der Dinge hinnehmen mußte, bevor sein geliebtes Vaterland im Real-Illusionismus endlich die Staatsform fand, die seinem Wesen ideal entspricht. Zu der zitierten Anekdote vom Fernsehapparat mit Scheibenwischer ist jedenfalls anzumerken, daß auch die Spucke in Maghrebinien, als ein gewissermaßen menschliches Produkt, alltäglicher hingenommen wird als im Abendlande. Man berichtet von einem Amerikaner, der sich im Institut «Figaro» zu Metropolsk rasieren ließ und dagegen protestierte, daß der Lehrling, der ihn einseifte, auf die Seife spuckte, um sie zu Schaum zu schlagen. «Aber, mein Herr!» verteidigte der Chef des Instituts «Figaro» seinen Angestellten. «Sie wollen die außerordentliche Schonung Ihres Feingefühls durch diesen hochbegabten Lehrling nicht sehen. Bei anderen Kunden spuckt er nicht auf die Seife, sondern ihnen gleich ins Gesicht.»

Was übrigens das maghrebinische Fernsehen betrifft, so ist sein Programm weit über die Grenzen des Landes hinaus berühmt, vor allem sein Symphonie-Orchester aber von so hervorragender Qualität, daß es häufig nicht auf dem Fernsehschirm erscheinen kann, weil es von vermögenden Privatleuten gemietet ist, um zum *Mulatschag* – das ist: eine Festlichkeit unter Freunden – aufzuspielen. Zu Zeiten des Staatsministers Kantakukuruz pflegte man zum gleichen Anlaß die Blaskapelle der Polizei zu engagieren, und es begab sich im Hause Seiner Exzellenz, des Herrn Staatsministers höchstselbst, daß sein Schlattenschammes – das ist: der Helfer des Rabbiners, hier: der Hausjude – ihm an Stelle dieser hochberühmten Kapelle ein Rudel von Zigeunermusikanten ins Haus gebracht hatte. «Wie?!» rief Seine Exzellenz beim Anblick dieser Lumpenkerle aus. «Das soll die weltweit renommierte Blaskapelle der Metropolsker Polizei sein?» – «Halten zu Gnaden, Exzellenz», erwiderte der Schlattenschammes, «von der Geheimpolizei.» Der Minister erbleichte und gab sich mit seinen Gästen einer äußerst gepflegten Unterhaltung hin.

KLEINER BUMMEL DURCH METROPOLSK – DIE SEHENSWÜRDIGKEITEN DER HAUPTSTADT UNSERES UNVERGLEICHLICH SCHÖNEN UND SEHR RUHMREICHEN LANDES – INSBESONDERE DAS WEIT ÜBER DIE GRENZEN MAGHREBINIENS HINAUS BEKANNTE INSTITUT MARLENE LAKAPENE.

DAS DORF BRANNTE – DIE HURE
KÄMMTE SICH DAS HAAR.

AUF SCHRITT UND TRITT BEGEGNET DEM BESUCHER MAGHREBIniens die gloriose Geschichte unseres unvergleichlich schönen und sehr ruhmreichen Landes, und wie das Fett ums Schwein, so setzt sich der Stolz ums Herz des Maghrebiniers, wenn er einem weitgereisten Fremden unsere Hauptstadt zeigen darf. Ist doch Metropolsk von Urzeit an der Schauplatz der hervorragendsten historischen Ereignisse sowohl wie auch der buntesten alltäglichen Begebenheiten des maghrebinischen Lebens. Demut aber ergreift einen jeden, von dem erwartet wird, daß er die einzigartige Schönheit dieser Stadt der Städte in Worte fasse. Denn das Wort ist immer nur *ein* Aspekt des Wirklichen, niemals die volle Wirklichkeit. Man berichtet von einem Fürsten Indiens, der eine Handvoll Leute im Dunklen einen Elefanten betasten ließ. Als man sie befragte, was sie befühlt hatten, gaben sie zur Antwort: einen Fächer; einen Thron; eine Wasserpfeife; einen Pfeiler; eine Quaste. Dies, um Begriff zu geben von einem Geschöpf, von dem die Dichter singen:

Der Elefant, der gestern
im Traume Indien sah,
sprang aus den Fesseln –
wer hat, ihn aufzuhalten, Macht?

Was weiß man in der Dunkelheit, heißt es in Maghrebinien.

Einzig Dichterwort ist imstande, die volle Schönheit von Metropolsk zu künden. Wie der Vogel im Nest, so ruht der Sinn im Ausdruck, wenn es von unserer Hauptstadt heißt:

Sie ist hundert Kahlen
die Mütze
und hundert Nackten
ein weiter Mantel . . .

Diese Sonne braucht keine Krone von Gott zu erbitten. Wir tragen hier vor, was unsere beschränkten Sinne von der Pracht der Hauptstadt Maghrebiniens aufgenommen haben und was unser ungeschickter Ausdruck davon wiederzugeben imstande ist:

Die Mängel sind der Spiegel der Vollkommenheit,
das Niedrige dient uns zum Lot der Herrlichkeit . . .

Es wird die Hauptstadt Maghrebiniens vom Schicksalsstrom des Landes, nämlich von der blauen Halitza, durchschnitten. In ihren Wassern spiegeln sich die Türme von Metropolsk, aus ihnen quillt und in sie mündet das städtische Kanalisationssystem. Denn sehr viel ökonomischer als in anderen Städten sind hier Trinkwasserversorgung und Abwässerung nicht etwa in zwei verschiedenen Röhrensystemen, sondern vielmehr in einem einzigen angelegt: tagsüber, es läuft das frische Wasser zum Trinken durch dieselbe; nachts, wenn ohnehin alles – bis auf ein paar Säufer und Huren – schläft, geht die Kanalisation hindurch. Anders als die Kläranlagen anderer Städte werden also die unserigen tagtäglich auf das frischeste reingespült.

Dem Besucher unserer unvergleichlich schönen Hauptstadt Metropolsk wird auffallen, daß jedes öffentliche Verkehrsmittel, also Birdschas – das sind: die Mietdroschken – sowie auch Taxis, die Autobusse und elektrische Straßenbahnwagen, versehen sind mit einer Blechhand zum Winken, welchselbe anzeigt, in welche Richtung das genannte jeweilige Fahrzeug abzubiegen beliebt. Es wird dadurch im Straßenverkehr viel Unvorhersehbares vermieden. Seit der Rückkehr der nach Paris entsandten Kommission zum Studium der Modernisierung des Straßenverkehrswesens unter der Leitung unseres Onkels Pungaschij sind auch diese Sicherheitsvorrichtungen auf den letzten Stand der Technik gebracht. Die Kommission war ausgeschickt worden, um die Frage zu studieren, ob die Winker durch Blinker oder blinkende Winker ersetzt werden sollten. Nach sechsmonatigem Aufenthalt in Paris waren leider die Mittel der Kommission verbraucht und die Delegierten mußten heimkehren. Die Modernisierung wurde provisorisch dadurch ausgeführt, daß man den blechernen Winkerhänden Armbanduhren aufmalte.

Welcher von den Besuchern unserer Hauptstadt zu einer Spazier- oder Geschäftsfahrt durch die belebten Straßen und Gassen sich einer solchen Birdscha – das ist: Mietdroschke – bedient, der wird gut daran tun, bevor er sich bequem in die von frischen Mäusenestern und Wanzenkolonien belebten Kissen zurechtsetzt, die Fahrt- und Windrichtung zu studieren sowie die Seite, zu welcher der Kutscher auf den Bock geklettert ist. Es empfiehlt sich solches nicht nur wegen der Schußrichtung der Spucke des Kutschers, die nur zu häufig ins Auge des Fahrgastes gehen kann, sondern auch wegen den unvorhergesehenen Peitschenschlägen nach rückwärts, mit welchen der Kutscher hinten an die Droschke sich anhängende Gassenbuben vertreibt.

Der Verkehr ist flink und flüssig. Weithin berühmt ist dafür die beispielhafte Geschichte von dem Juden, der überfahren wurde: Es vollzog sich das so schnell, daß der Wagenlenker erst «Achtung!» rufen konnte, als die Räder schon über den Unglücklichen hinweggerollt waren, worauf dieser voll Entsetzen rief: «Warum Achtung? Kommen Sie um Gottes willen auch noch zurück?»

Wer die Straßenbahn benützt, braucht sich nicht unbedingt an die Dolden und Trauben von Fahrgästen zu halten, welche von den Trittbrettern und Puffern der Wagen niederhängen. Ein geringer Bakschisch wird den Schaffner bestimmen, ein paar Mützen von den Köpfen der Anhängenden zu reißen und sie auf die Straße zu schleudern. Um ihre Kopfbedeckungen nicht im Stich zu lassen, springen die Leute meistens ab. Es werden somit Plätze frei.

Indes wird eben der gebildete Besucher unserer Hauptstadt dieselbe um ihrer Sehenswürdigkeiten willen lieber zu Fuß durchqueren und dabei der ebenso altehrwürdigen wie profund symbolischen Einrichtung des Schuhputzwesens gewahr werden. Die angebliche Aufdringlichkeit maghrebinischer *shoe-shine-boys* wird nur demjenigen mißfallen, der ungenügend humanistisch geschult ist, um nicht darin eine moderne Form der klassischen Fußwaschung zu erkennen, also einen Akt der Gastfreundschaft sowohl wie eine symbolische Unterwerfung von religiöser Weihe [heißt es doch bei den Psalmisten: «Auf Edom setz ich meinen Schuh . . .»]. Eine sakramentale und liturgische Note haftet der Prozedur des Schuheputzens an, und der Landesfremde handelt weise, wenn er den dafür zu entrichtenden Obulus gleichfalls als eine symbolische Gabe ansieht und nicht als einen feststehenden Tarif. Insbesondere wer die Taktlosigkeit begeht, dem Schuhputzer eine größere Banknote zum Wechseln zu überreichen, wird sich bald bestraft finden.

Mit taschenspielerhafter Geschicklichkeit knüpft der Schuhputzer ihm die Schnürsenkel beider Schuhe aneinander und sucht mit der Banknote das Weite, ohne daß ihn der also Gefesselte verfolgen kann.

Wie alle Wege nach Rom führen, so führen alle Gassen und Straßen von Metropolsk zu jenem Platz an der Kreuzung der Kalea Pungaschijlor – das ist: die Straße der Taschendiebe – und der Schosséa Hotzilor – das ist: der Boulevard der Beutelschneider –, wo vor der großen historischen Kathedrale Hagia Sophistia die nasenlose Heilandsstatue von Thorwaldsen steht. Blickt man die Kalea Pungaschijlor entlang, so fällt als erster der sie säumenden Adelspaläste der Konak der Kantakukuruz ins Auge, dessen armatolischer Renaissancestil durch Elemente der Baukunst des Casinos von Monte Carlo sowie der Markuskirche von Venedig bereichert ist. Gegenüber beleben die hybriden Schnörkel der asymmetrischen Ornamentik des im Janitscharen-Jugendstil erbauten Palazzo Pungaschij das Straßenbild. Die beiderseits des Tores zur Beleuchtung aufgehängten riesigen Teerkessel sind zu oft abgebildet, um nicht jedem Kunstliebhaber bekannt zu sein. Mit nur geringem Abstand folgt das Stadtpalais der Siktirbey im Fransenschmuck seines spannungsgeladenen, wogenden Hadjuken-Barock, jedoch – wie es sich für einen Sitz von Berg-Emiren gebührt – nicht ohne gewissen Anklang an die Architektur der Schweizer Sennhütte. Berühmt ist hier das Wappen der Siktirbey, die Krähe mit dem Auge der andern im Schnabel, unter welche in historischer Zeit Vlajku Kantakukuruz und Kutza Pungaschij geschrieben hatten: «Sie flog in die Höhe, setzte sich aber in die Nähe.» Porfiri Siktirbey hatte darauf unter das Wappen der Kantakukuruz [in blau drei gekrönte Gänse] geschrieben: «Die Gänse schwammen bis zum Meer, kamen aber trotzdem nicht als Schwäne zurück», sowie unter das gebäumte Roß der Siktirbey: «Die meisten Reiterlieder werden zu Fuß gesungen.» Alle drei Unterschriften sind noch heute deutlich lesbar.

Die Kalea Pungaschij wird sodann zur vornehmen Geschäftsstraße, deren hervorragendes Gebäude, der dem Pariser Eiffelturm nachgebildete Wolkenkratzer der Anglo-Maghrebinian-Bank, die

verhältnismäßig bescheideneren Paläste der Maghrebjins- en Neederlandschen Klapaster en Desaster-Bank, des Joint Stock Miscount, des Crédit Hava Parasi Bankasi und der Banque Hasouk sowie der Großfirmen Hadschi Yatmas & Dumreicher und Kalderim Mühendisi Consulting Co. Karga & Kabadayi in den Schatten stellt. Wenden wir jetzt der Kathedrale Hagia Sophistia den Rücken, so entzückt sich unser Auge an dem vor der großen Moschee Büjük Lukum Dschâmij plätschernden Brunnen Tschirtschir-Suju. An der uralten Platane davor war lange Zeit befestigt die heute im Kloster von Bunikadrakului aufbewahrte sogenannte «Hand der Gerechtigkeit», welche sich schloß, wenn ein auf dem hier seinerzeit abgehaltenen Markt strittig gewordener Preis in sie gelegt wurde.

Wir blicken nun die Schosséa Pungaschijlor hinab, wo, zwischen dem Nationaltheater zur einen und dem weithin über die Landesgrenzen hinaus berühmten Restaurant «Tschina» – das ist: das Abendmahl – des Gastwirts Schorodok zur anderen Seite die größte aller Sehenswürdigkeiten, nämlich der Palast des ehemaligen erlauchten Herrscherhauses der Karakriminalowitsch das Bild beherrscht. Wiewohl von fast bescheidenen, allerdings höchst eindrucksvollen Dimensionen, wurde dieser Eski Konak im Auftrag Nikifors VIII. begonnen und von Nikolaschka dem Blutigen vollendet, sodann von Nikifor XIII. in elektrisierendem Stil umgebaut. Es mischen sich also die Elemente der in Alabaster umgesetzten petschenegischen Jurtebbauweise mit den verspielten Rokokomotiven der sizilianisch-zakonischen Kalfa – das ist: Baumeister – Gebrüder Angelo und Innocenzio Pettorutti und Stilformen der Lale Devri – das ist: die osmanische Tulpenzeit.

Die siebenhundertsiebenundsiebzig Räume des Eski Konak sind auf das kostbarste ausgeschmückt, Prunksäle, Salons, Schlafgemächer mit allem Raffinement westlicher und östlicher Lebenskunst eingerichtet und dekoriert. Sogar die Nachttöpfe haben Wasserspülung. Im Thronsaal ruhte, bis zur Flucht des Königs Nikifor XIV. nach Acapulco in Mexiko, unter einem Glassturz auf einem samtenen Kissen die heilige Reichsinsignie, die Krone der Karakriminalowitsch, gegen welche der Helm des Skanderbeg geradezu als Nachtmütze anzusehen ist. Sie ist inkrustiert mit Perlen, groß wie Taubeneier, granatfarbenen Rubinen, die die Schatten vertreiben und in dunklen Nächten wie Kerzen leuchten, und Smaragden, deren Anblick, wie die Dichter sagen, Schlangenaugen zum Schmelzen bringt.

Der Thron Salomonis im gleichen Saal ist andernorts ausführlich beschrieben worden.* Das schmutzige Gerücht, es handle sich um eine Fälschung, weil das Original zur Deckung der Staatsschuld von Oelgiesser Ltd., New York, beschlagnahmt sei, ist nichts weiter als eine absichtliche Verunglimpfung der Nation und des erlauchten Herrscherhauses der Karakriminalowitsch. Wahr hingegen ist, daß eine Gruppe englischer Bankeinbruch- und Tresorknackerspezialisten im Auftrag Königs Nikifor XIII. den Prunksitz des Thrones mit einer Falltür versahen, die, eine Art politische Müllschütte für Krisenzeiten, den auf dem Thron Befindlichen mit einem Knopfdruck in einen unterirdischen Gang zu befördern vermag. Dieser Gang führt zunächst in die hochinteressante Kleiderkammer für historische Fluchtgewänder, eine einzigartige Sammlung, welche dem modisch Interessierten die Möglichkeit bietet, die sorgfältig eingemotteten Originale, beziehungsweise die naturgetreuen Nachbildungen der Kleider zu bestaunen, die von Fürstlichkeiten bei der Flucht bevorzugt wurden, angefangen von der Verkleidung, in welcher Darius III. nach der Schlacht bei Issus [333] türmte, und den Lumpen, in welchen Demetrius Poliorketes als Gymnosophist und Bettelphilosoph die Flucht ergriff, als sein Heer zu Pyrhos überlief. Auch sieht man hier die grobe Hirtenpelerine und die Katschjula – das ist: die Lammfellmütze –, in denen Pyrhos nach der Schlacht von Heraklea das Weite suchte, neben dem kniefreien Chiton der Hetäre Mystia, die die glücklichen Tage Seleukos' II. versüßte und ihn im Unglück, nach seiner Niederlage durch die Gallier, verließ, und dem zerschlissenen Kaftan, den Tigranes nach der verlorenen Schlacht bei Tigranoker überwarf, um zu verschwinden, ebenso wie die staubige Toga, die Pompejus nach der Schlacht von Pharsalos zur Tarnung trug. Die Kittel, Überwürfe, Mäntel, in welchen byzantinische Kaiser, ara-

* Siehe: Maghrebinische Geschichten, 6. Kapitel.

bische und persische Fürsten sowie europäische Royalitäten nach Wechselfällen des Schicksals ins Exil geflüchtet sind, finden sich hier vollzählig vor. Weder fehlt das Justaucorps, in welchem man den flüchtenden Louis XVI. bei Varennes aufgriff, noch das sportliche Norfolkjäckchen Kaisers Wilhelm II. auf dem Wege nach Doorn. Die Vollständigkeit dieser Sammlung mag den Gedanken erwecken, wie sehr das Geschlecht der Karakriminalowitsch durch die letzten Generationen psychologisch schon in der Defensive lebte.

Das unterirdische System von Gängen, Schlupfwinkeln und Gewölben hat Anschluß an die Heizanlagen des Hamams – das ist: das Schweißbad der Männer –, ist aber wegen Einsturzgefahr geschlossen. Plumpe Neugierde hat hier ein Zeugnis des technischen Genies der alten Maghrebinier zerstört, war doch die gesamte Anlage des Hamams mit seinen heißdampfenden Marmorbecken und verschieden temperierten Schwitzkammern von der Flamme nur *einer einzigen* Kerze geheizt! Vermessene sind einst hier eingebrochen, um die geniale Konstruktion aufzudecken, dabei haben sie sie ruiniert. Für immer wird es nun Geheimnis bleiben, wie es möglich war, ein so großes Bad mit seinen sprudelnden Gewässern mit dem Flämmchen von nur *einer einzigen* kleinen, kleinen Kerze zu heizen.

Wer den Eski Konak der Karakriminalowitsch verläßt, hat die Wahl, sich nach links, zum Nationaltheater, beziehungsweise nach rechts, zum weithin über die Landesgrenzen hinaus bekannten Restaurant «Tschina» – das ist: das Abendmahl – des Gastwirts Schorodok zu wenden. Den Wissenschaftler zieht es zur Nassr-ed-Din-Hodscha-Universität für Völkerfreundschaft und Okzidentalistik zur Linken. Den Weltmann und kulturhistorisch Interessierten jedoch lockt, zur Rechten, das weltweit renommierte Institut Marlene Lakapene. Es ist dies das unter der Schreckensherrschaft des Abraxas Barrakuda leider für immer geschlossene und vom Real-Illusionismus zum nationalen Denkmal erhobene hervorragende Freudenhaus von Metropolsk.

Sagenumwoben sind die Gestalten weiland der Gründerinnen jenes Hauses. Das Institut Marlene Lakapene begann als Familienunternehmen. Mutter und Tochter arbeiteten es zu seiner international unbestrittenen Höhe auf, jede von ihnen ausgestattet mit speziellen Gaben der Natur sowohl wie auch mit der glücklichsten charakterlichen Veranlagung für den Beruf der Lustspenderin. «Was können die Gazellen neben deinen Augen ausrichten», sangen die Dichter, «du, deren Locke die Fußfessel der Löwen der Welt ist!»

Die Mutter Marlenes, Ballasulda Lakapene, eine Berggriechin von ungewöhnlicher Schönheit, war schon als Kind in den Harem des Sultans Ibrahim gekommen. Wie man weiß, beschloß dieser Herrscher, der sich besonderen Ausschweifungen hingab, die Belegschaft seiner Frauenhäuser von Grund auf zu erneuern. Kein angenehmer Charakter, aber konsequent, ließ er die 1200 Odalisken kurzerhand in Säcke einnähen und in den Bosporus werfen. Einzig Ballasulda, die es verstanden hatte, einen der Eunuchen zu unerwarteten Freuden zu verhelfen, gelang es, sich zu retten. Der Eunuche gab ihr, bevor er sie einnähte, in die Hand ein kleines Messerchen, mit welchem sie – ein weiblicher Graf von Monte Christo – den Sack aufschlitzte und schwimmend dem sicheren Tod entrann. Ein Genueser Gewürzschiff fischte sie aus den Fluten und brachte sie nach Tanger, woselbst sie in weit vorausschauender Weise die Belegschaft für ihr späteres Institut in Metropolsk anzuheuern begann.

Der Kunde dieses Instituts fand sich mit exquisiter Gastlichkeit empfangen und mit Raffinement bedient. Nach kurzer Plauderei, zu welcher man Mastix, gemischt mit Nelken, Zimt und Kardamon, sowie sogenannten «Kleinen Bisam» kaute – ein schlafförderndes Konfekt aus Mandeln, Coreander, Fenchel und Anis –, wurden die «heißen Latwergen» aufgetragen, kräftig gemischt aus Ingwer, Kardamon, Kubeben, Piment, Kostwurz, Pfeffer, Zibet, Moschus, Ambra, Safran, Bibergeil und Haschisch. Man benützte die Stengel der Chilla-Dolde als Zahnstocher. Dazu sangen, dirigiert vom Chefeunuchen Diran Kujtaljan, die Kastratensänger: Chamilji, Redschepji, Tachirji, Naliji, Assani. Man legte dem Kunden sodann den Kleinen und den Großen Katalog vor. Es enthielt der erstere die folgende Liste schöner Möglichkeiten:

Chapipé – die Meisterin der Nabelschleuder; eine Syrerin, üppig, duftet nach Narde;
Chavá – genannt: die Lippe; geboren in Ägypten; hinkt auf einem Bein;
Suchrá – die Mutter, die Amme; sehr dunkel und warm; in den Sommermonaten nicht zu empfehlen;
Tutu – ein außerordentlich eitler und juwelengeiler Lustknabe;
Saimé – eine gnadenlose Sadistin, Tochter eines Arabers und einer Schweizer Gouvernante, in Zürich aufgewachsen;
Emetí – der Vampir; schwindsüchtig, lesbisch, sehr nervös;
Nasifé – die Verschleierte mit den sinnlichen Daumen;
Floritza – eine Rumänin: ein Sommernachmittag im Heu; stark syphilitisch;
Panajotula – die ewig Elfjährige;
Nastassja – eine Russin von ungewöhnlicher literarischer Bildung;
Donna Mirella – die Stolze: eine Meisterin der Verachtung;
Andschelitschji – sie läßt aus guten Gründen nur durch den Anus ihren Freund den Weg zum Herzen finden;
Sultana – die Tigerin; will geschlagen werden;
Chrusafina – eine Halbidiotin; anschmiegsam, anspruchslos in der Unterhaltung;
Hannelore – guter Kamerad und Mitarbeiter in allen Lagen;
Frana – eine Seejungfrau für Katholiken freitags;
Das Finanzielle ist mit dem Hausjuden Wolf Baer Pick zu regeln.

Der Große Katalog greift in die Zoologie und Botanik über.

Nur ganz erlesenen Kunden war die Namensgeberin des Instituts, Marlene Lakapene, zugänglich. Ihre Schönheit war die der Sternschnuppe: ein Dämon, der durch einen Lanzenwurf der Engel von den Zinnen der Himmelsburg geschleudert ward. Ihr innerer

Glanz war wie ein Rubinschacht. Ihre Zunge, ein Rosenblatt-Schwert, konnte dich töten. O du meine Lampe, meine Kaaba, mein Mandelmark! Die Mitte ihres Leibes war ein Sündenfaden, eine Anekdote. In ihrer Hand verwandelte sich das Böse, wie die Schlange in Mosis Hand zum Stab wurde. Schenkel des Himmels! Sie war von der Härte des Diamanten, wenn es ans Zahlen ging. Um sich im Preis nicht täuschen zu lassen, hatte sie sich eigenhändig ein Auge ausgerissen. Denn heißt es nicht: Wenn du zum Schielenden sagst: Der Mond ist einer!, sagt er: Es sind deren zwei! Und es besteht Zweifel, ob es einer ist.

Unschätzbar sind die Kostbarkeiten, welche, neben dem ausgemachten Preis in bar, von dankbaren Gästen zu Füßen Marlene Lakapenes gelegt wurden. In der Raritätenkammer sind zu besichtigen:

der Keuschheitsgürtel der Lucrezia Borgia;
das Bidet der Ninon de Lenclos;
der Zauberstab Cagliostros;
die Personal-Akte von Fouché;
das Türschloß vom Todeszimmer von Mayerling [zum Durchschauen];
ein kostbares, noch unbenutztes Manikürzeug Rasputins, Geschenk der Zarin, hergestellt von Fabergé;
ein vertrockneter fauler Apfel aus der Schublade Friedrich Schillers;
eine Rachenmandel von Caruso in Spiritus;
ein Barthaar von Karl Marx;
eine Saite der Geige Einsteins;
die Couch aus dem Ordinationszimmer Sigmund Freuds;
die zerbrochene Kinnlade von Robespierre;
ein linker Stiefel von Joseph Goebbels, orthopädisch
und noch viel anderes auch.

Marlene Lakapene sollte, ebenso wie ihre Mutter Ballasulda, die Schließung ihres Instituts nicht mehr erleben:

Die Tänzerin ist tot, aber ihr Leib wiegt sich noch.

MAGHREBINIA

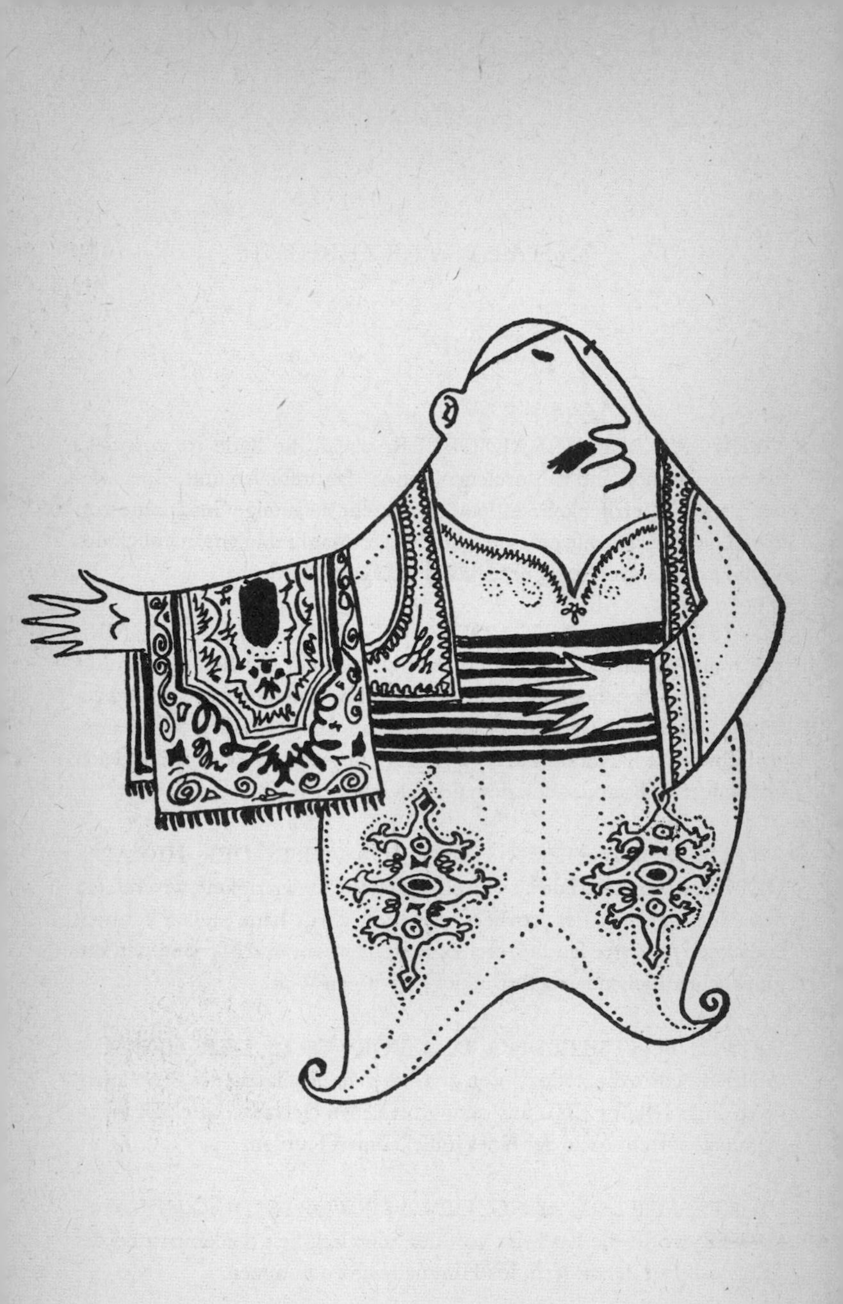

INHALTSVERZEICHNIS

rororo

NEUE DEUTSCHE PROSA

Ulrich Becher
Männer machen Fehler. Zwölf Kurzgeschichten [1283]

Peter Bichsel
Die Jahreszeiten. Roman [1241]

Wolfgang Borchert
Draußen vor der Tür und ausgewählte Erzählungen. Nachwort: Heinrich Böll [170]
– Die traurigen Geranien und andere Geschichten aus dem Nachlaß. Hg. und Vorwort: Peter Rühmkorf [975]

Rolf Dieter Brinkmann
Keiner weiß mehr. Roman [1254]

Die Zehn Gebote
Zehn exemplarische Erzählungen. Hg. Jens Rehn [1233]

Friedrich Dürrenmatt
Der Richter und sein Henker. Roman [150]
– Der Verdacht. Roman [448]

Gisela Elsner
Die Riesenzwerge. Ein Beitrag [1141]
– Der Nachwuchs. Roman [1227]

Hubert Fichte
Das Waisenhaus. Roman [1024]
– Die Palette. Roman [1300/01]

Max Frisch
Homo faber. Ein Bericht [1197]

Günter Bruno Fuchs
Bericht eines Bremer Stadtmusikanten. Roman [1276]

Günter Grass
Katz und Maus. Eine Novelle [572]
– Hundejahre. Roman [1010–14]

Max von der Grün
Irrlicht und Feuer. Roman [916]

Peter Handke
Die Hornissen. Roman [1098]

Peter Härtling
Das Familienfest oder Das Ende der Geschichte [1368/69]

Rolf Hochhuth
Der Stellvertreter. Ein christliches Trauerspiel. Vorwort: Erwin Piscator. Erweiterte Taschenbuchausgabe: Mit einer Variante zum fünften Akt und einem Essay von Walter Muschg [997/98]
– Soldaten. Nekrolog auf Genf. Tragödie [1323]
– Krieg und Klassenkrieg. Studien. Vorwort: Fritz J. Raddatz [1455]

Uwe Johnson
Zwei Ansichten [1068]

Horst Krüger
Stadtpläne. Erkundungen eines Einzelgängers [1386]

Siegfried Lenz
Die Augenbinde. Parabel /
Nicht alle Förster sind froh. Ein Dialog [1284]

Hans Erich Nossack
Spätestens im November. Roman [1082]
– Der Fall d'Arthez. Roman [1393/94]

Gregor von Rezzori
Maghrebinische Geschichten. Mit Zeichnungen des Autors [259]
– Ein Hermelin in Tschernopol. Ein maghrebinischer Roman [759/60]

Gerhard Rühm
Die Frösche und andere Texte [1460]

Ursula Trauberg
Vorleben. Nachwort: Martin Walser [1330/31]

Martin Walser
Ehen in Philippsburg. Roman [557/58]

Peter Weiss
Die Ermittlung. Oratorium in 11 Gesängen [1192]

Dieter Wellershoff
Ein schöner Tag. Roman [1169]
– Die Schattengrenze. Roman [1376]

Gabriele Wohmann
Abschied für länger. Roman [1178]

35/22

Junge deutsche Autoren

Friedrich Achleitner
Prosa, Konstellationen, Montagen, Dialektgedichte, Studien

Konrad Bayer
Der sechste Sinn. Roman. Hg. von Gerhard Rühm

Peter O. Chotjewitz
Hommage à Frantek. Nachrichten für seine Freunde
– Die Insel. Erzählungen auf dem Bärenauge

Gisela Elsner
Die Riesenzwerge. Ein Beitrag
– Der Nachwuchs. Roman
– Das Berührungsverbot. Roman

Hubert Fichte
Das Waisenhaus. Roman
– Der Aufbruch nach Turku. Erzählungen
– Die Palette. Roman
– Detlevs Imitationen ‹Grünspan› Roman

Hans Frick
Henri

Maria Frisé
Hühnertag u. andere Geschichten

Gerhard Fritsch
Fasching. Roman

Eugen Gomringer
Worte sind Schatten. Die Konstellationen 1951–1968. Hg. Helmut Heißenbüttel

Rolf Hochhuth
Der Stellvertreter. Schauspiel
– Soldaten. Nekrolog auf Genf. Tragödie
– Guerillas. Tragödie in 5 Akten
– Krieg und Klassenkrieg. Studien. Vorwort von Fritz J. Raddatz

Elfriede Jelinek
Wir sind Lockvögel Baby! Roman

Walter Kempowski
Im Block. Ein Haftbericht

Reiner Kunze
Sensible Wege. Achtundvierzig Gedichte und ein Zyklus

Friederike Mayröcker
Tod durch Musen. Poetische Texte
– Minimonsters Traumlexikon. Texte in Prosa
– Fantom Fan

Karl Mickel
Vita nova mea. Gedichte

Hermann Peter Piwitt
Herdenreiche Landschaften. Zehn Prosastücke

Rolf Roggenbuck
Der Nämlichkeitsnachweis. Roman
– Der achtfache Weg

Gerhard Rühm
Fenster. Texte
– Gesammelte Gedichte und visuelle Texte

Peter Rühmkorf
Irdisches Vergnügen in g. Fünfzig Gedichte
– Kunststücke. 50 Gedichte nebst einer Anleitung zum Widerspruch
– Über das Volksvermögen. Exkurse in den literarischen Untergrund

Eckard Sinzig
Idyllmalerei auf Monddistanz. Roman

Dietrich Werner
Bemühungen in der Luft und andere Ungelegenheiten. Erzählungen

Oswald Wiener
Die Verbesserung von Mitteleuropa. Roman

Wiener Gruppe
Achleitner, Artmann, Bayer, Rühm, Wiener. Texte, Gemeinschaftsarbeiten, Aktionen. Hg. von Gerhard Rühm

Rowohlt

Franz Josef Degenhardt

Spiel nicht mit den Schmuddelkindern
Balladen, Chansons, Grotesken, Lieder.
Mit 28 Illustrationen von Horst Janssen
rororo Taschenbuch Band 1168

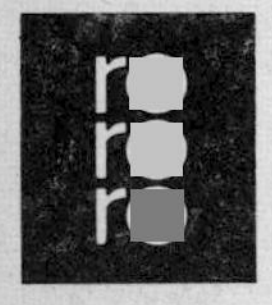

Franz Josef Degenhardt / Wolfgang Neuss / Hanns Dieter Hüsch / Dieter Süverkrüp

Da habt ihr es!
Stücke und Lieder für ein deutsches Quartett.
Mit 19 Illustrationen von Eduard Prüssen
rororo Taschenbuch Band 1260

Wolfgang Neuss

Neuss Testament
Eine satirische Zeitbombe von Wolfgang Neuss
nach Texten von François Villon mit Beiträgen
von Horst Tomayer, Thierry, Jens Gerlach,
Gerd Delaveaux
Mit 26 Holzschnitten von Uwe Witt
rororo Taschenbuch Band 891

Asyl im Domizil
Bunter Abend für Revolutionäre unter Mitarbeit
von Thierry und Hans Magnus Enzensberger.
Mit 20 Illustrationen von Karl Staudinger
rororo Taschenbuch Band 1072

Helmut Qualtinger / Carl Merz

Der Herr Karl
und weiteres Heiteres
rororo Taschenbuch Band 607

623/1

rowohlts rotations romane

Ungekürzte Romane bekannter Autoren aus aller Welt
Verzeichnis aller lieferbaren Titel

* hinter dem Titel: Für Jugendliche ab 10 Jahren zu empfehlen
** hinter dem Titel: Für Jugendliche ab 14 Jahren zu empfehlen

Romane und andere Prosa

ABE, KOBO Die Frau in den Dünen [1265]

ABECASSIS, GUY 100 Koffer auf dem Dach [702], Kopfkissen für Globetrotter [1065]

ÅBERG, JOHN EINAR Engel – gibt's die? [1064]

ADAMSON, JOY Frei geboren . . . Eine Löwin in zwei Welten / Mit 32 Bildtafeln [844] **

AMADO, JORGE Gabriela wie Zimt und Nelken [838/39]

AMALRIK, ANDREJ Unfreiwillige Reise nach Sibirien [1452]

ANATOL, ANDREAS Olympische Liebesspiele. Eine heitere Mythologie der Griechen. Illustrationen: Wilhelm M. Busch [1306]

AUCHINCLOSS, LOUIS Die Gesellschaft der Reichen [1328/29]

AYMÉ, MARCEL Die grüne Stute [402]

BACHER, MANFRED Immer bin ich's gewesen! Illustrationen: G. Bri [1375]

BALDWIN, JAMES Giovannis Zimmer [999], Gehe hin und verkünde es vom Berge [1415]

BARLAY, STEPHEN Die Sex-Händler / Ein Bericht über moderne Formen der Sklaverei [1359–61]

BEAUVOIR, SIMONE DE Das Blut der anderen [545], Die Mandarins von Paris [761–63a], Ein sanfter Tod [1016], Memoiren einer Tochter aus gutem Hause [1066/67], In den besten Jahren [1112–14], Der Lauf der Dinge [1250–53], Alle Menschen sind sterblich [1302/03], Die Welt der schönen Bilder [1433]

BECHER, ULRICH Männer machen Fehler / 12 Kurzgeschichten [1283]

BECKETT, SAMUEL [Nobelpreisträger] Murphy [311]

BELLOW, SAUL Die Abenteuer des Augie March [902/05], Das Opfer [1085/86], Herzog [1132–34], Mann in der Schwebe [1367]

BEN-GAVRIÊL, M. Y. Kamele trinken auch aus trüben Brunnen [1103] **

BERCK, MARGA Sommer in Lesmona [606] **

BICHSEL, PETER Die Jahreszeiten [1241]

BLONDIN, ANTOINE / GUIMARD, PAUL Jeder Mann wird mal schwach. Illustrationen: Cabu [1445]

BORCHERT, WOLFGANG Draußen vor der Tür und ausgewählte Erzählungen [170] **, Die traurigen Geranien und andere Geschichten aus dem Nachlaß. Hg.: Peter Rühmkorf [975] **

BORGES, JORGE LUIS Der Schwarze Spiegel / Übungsstücke in erzählender Prosa [880]

BRECHT, BERTOLT Kalendergeschichten [77], Drei Groschen Roman [263/64], Die Geschäfte des Herrn Julius Caesar [639] Bertolt Brechts Hauspostille [1159]

BREINHOLST, WILLY Küsse deine Frau / Ein Hobbybuch für Ehemänner. Illustrationen: Léon van Roy [853], Der Mann meiner Frau / Heitere Ehegeschichten [1051], Die Liebe ist das A und O [1167], Das süße Leben des Ehemannes in Theorie und Praxis. Illustrationen: Léon van Roy [1249]

BRINKMANN, ROLF DIETER Keiner weiß mehr [1254]

BRISTOW, GWEN Tiefer Süden [804/05] **, Die noble Straße [912/13] **, Am Ufer des Ruhmes [1129/30] **

BUCK, PEARL S. [Nobelpreisträger] Ostwind – Westwind [41] **, Die Mutter [69] **, Die Frau des Missionars [101] **, Die erste Frau und andere Novellen [134], Der Engel mit dem Schwert / Gottesstreiter im fernen Land [167] **, Söhne [185–88], Die springende Flut [425]

BUHET, GIL Ritter Pierrot [1239] **

BULATOVIC, MIODRAG Der rote Hahn fliegt himmelwärts [803]

BURGESS, ANTHONY Der Doktor ist übergeschnappt [1257], Honig für die Bären [1426]

BUSCH, FRITZ B. Einer hupt immer / Heitere Automobilgeschichten mit Benzin geschrieben [1084] **, Lieben Sie Vollgas? Heitere Automobilgeschichten hinter dem Steuer geschrieben [1181] **

BUSCH, WILHELM Gedichte [257]

CAMUS, ALBERT [Nobelpreisträger] Die Pest [15], Der Fremde [432], Kleine Prosa [441] **, Der Fall [1044], Verteidigung der Freiheit / Politische Essays [1096], Der Mensch in der Revolte [1216/17]

CAPOTE, TRUMAN Frühstück bei Tiffany [459], Kaltblütig [1176/77]

CARRÉ, JOHN LE Schatten von gestern [789] **, Der Spion der aus der Kälte kam [865] **, Krieg im Spiegel [995/96], Ein Mord erster Klasse [1120]

CÉLINE, LOUIS-FERDINAND Reise ans Ende der Nacht [1021–23]

CHAGALL, BELLA Brennende Lichter / Zeichnungen: Marc Chagall [1223/24]

CHRISTIAN, TINA Verdammtes kleines Luder [1400]

CLEWES, HOWARD Die Zügellosen [1074]

COLETTE Gigi und andere Erzählungen [143], Chéri [178], Das Hotelzimmer [909]

COLLIER, JOHN Blüten der Nacht. Befremdliche Geschichten [1324]

COOPER, SIMON Puppenspiele [1465 – Dez. 1971]

CRONIN, A. J. Kaleidoskop in ‹K› [10], Die Zitadelle [39/40], Der neue Assistent [112], Der spanische Gärtner [127], Die Dame mit den Nelken [345], Das Licht [376], Doktor Murrays Auftrag [677], Dr. Shannons Weg [774], Der Judasbaum [857/58], Doktor Finlays Praxis [1383]

DAHL, ROALD Küßchen, Küßchen! [835], . . . steigen aus . . . maschine brennt . . . / 10 Fliegergeschichten [868], Der krumme Hund. Illustrationen: Catrinus N. Tas [959], . . . und noch ein Küßchen! Weitere ungewöhnliche Geschichten [989]

DEGENHARDT, FRANZ JOSEF Spiel nicht mit den Schmuddelkindern. Balladen / Chansons / Grotesken / Lieder. Illustrationen: Horst Janssen [1168]

DEGENHARDT, FRANZ JOSEF / NEUSS, WOLFGANG / HUSCH, HANNS DIETER / SUVERKRUP, DIETER Da habt ihr es! Stücke und Lieder für ein deutsches Quartett. Zeichnungen: Eduard Prüssen [1260]

DIE ZEHN GEBOTE. Zehn exemplarische Erzählungen. Hg. von Jens Rehn [1233]

DILLON, EILIS Die Insel der Pferde. Illustrationen: Willy Kretzer [1202] **

DJILAS, MILOVAN Die unvollkommene Gesellschaft / Jenseits der «Neuen Klasse» [1377/78]

DRESNER, HAL Der Mann, der pornographische Bücher schrieb [1430]

DU MAURIER, DAPHNE Rebecca [179/80]

DUNDY, ELAINE Ein Abend zu zweit [1199]

DURRENMATT, FRIEDRICH Der Richter und sein Henker. Illustrationen: Karl Staudinger [150] **, Der Verdacht [448]

DURRELL, GERALD Zoo unterm Zeltdach. Als Tierfänger in Kamerun [1366], Ein Noah von heute. Illustrationen: Ralph Thompson [1419]

DURRELL, LAWRENCE Justine [710], Balthazar [724], Mountolive [737/38], Clea [746–48], Leuchtende Orangen. Rhodos – Insel des Helios [1045] **, Schwarze Oliven. Korfu – Insel der Phäaken [1102] **

ECHARD, MARGARET Unsere ehrbare Mama [1128] **

EHLERT, CHRISTEL Wolle von den Zäunen [1048] **

EKERT-ROTHOLZ, ALICE M. Reis aus Silberschalen [894–96], Wo Tränen verboten sind [1138–40], Strafende Sonne, lockender Mond [1164–66], Mohn in den Bergen [1228–30], Die Pilger und die Reisenden [1292–94], Elfenbein aus Peking / Sechs Geschichten [1277]

ELIOT, ALEXANDER Love Play. Eine Romankomödie [1271]

ELLIOTT, SUMNER LOCKE Leise, er könnte dich hören [1269/70]

ELSNER, GISELA Die Riesenzwerge [1141], Der Nachwuchs [1227]

FALL, THOMAS Der Clan der Löwen [1309]

FALLADA, HANS Kleiner Mann – was nun? [1], Wer einmal aus dem Blechnapf frißt [54/55], Damals bei uns daheim [136] **, Heute bei uns zu Haus [232], Der Trinker [333], Bauern, Bonzen und Bomben [651–53], Jeder stirbt für sich allein [671/72], Wolf unter Wölfen [1057–61], Kleiner Mann, Großer Mann – alles vertauscht oder Max Schreyvogels Last und Lust des Geldes [1244/45], Ein Mann will nach oben. Die Frauen und der Träumer [1316–19]

FALLET, RENÉ Ein Idiot in Paris [1399]

FAULKNER, WILLIAM [Nobelpreisträger] Die Spitzbuben [961/62]

FICHTE, HUBERT Das Waisenhaus [1024] **, Die Palette [1300/01]

FITZGERALD, JOHN D. Vater heiratet eine Mormonin [1350/51]

FRISCH, MAX Homo faber [1179]

FUCHS, GUNTER BRUNO Bericht eines Bremer Stadtmusikanten [1276]

GALLICO, PAUL Meine Freundin Jennie [499] *, Ein Kleid von Dior [640] **, Der geschmuggelte Henry [703] **, Thomasina [750], Ferien mit Patricia [796], Die Affen von Gibraltar [883/84], Immer diese Gespenster! [897], Die spanische Tournee [963/64], Waren Sie auch bei der Krönung? Zwei heitere Geschichten zu einem festlichen Ereignis [1097] **, Die Hand von drüben / Fast ein Kriminalroman [1236/37], Jahrmarkt der Unsterblichkeit [1364/65], Freund mit Rolls-Royce [1387]

GARCIA MARQUEZ, GABRIEL Unter dem Stern des Bösen [1332]

GHIOTTO, RENATO Die Sklavin [1388–90]

GOETZ, CURT Tatjana [734]

GORDON, NOAH Ein Haus für den Herrn [1466 – Dez. 1971]

GORDON, RICHARD Aber Herr Doktor! [176], Doktor ahoi! [213], Hilfe! Der Doktor kommt [223], Dr. Gordon verliebt [358], Dr. Gordon wird Vater [470], Doktor im Glück [576], Eine Braut für alle [648], Doktor auf Draht [742] **, Onkel Horatios 1000 Sünden [953], Sir Lancelot und die Liebe [1191], Der Schönheitschirurg [1346/47]

GORDON-DAVIS, JOHN Die Beute [1379–81]

GOSCINNY, RENÉ Prima, Prima, Oberprima! Tips für Schüler, Lehrer und leidgeprüfte Eltern [1256] **

GOVER, ROBERT Ein Hundertdollar Mißverständnis [1449], Kitten in der Klemme [1467 – Dez. 1971]

GRAHAM, SHEILAH / FRANK, GEROLD Die furchtlosen Memoiren der Sheilah Graham [1267/68]

GRASS, GUNTER Katz und Maus [572], Hundejahre [1010–14]

GRAU, SHIRLEY ANN Die Hüter des Hauses [1464 – Nov. 1971]

GRAY-PATTON, FRANCES Guten Morgen, Miss Fink [1064] **

GREENE, GRAHAM Die Kraft und die Herrlichkeit [91], Das Herz aller Dinge [109/10], Der dritte Mann [211], Der stille Amerikaner [284], Heirate nie in Monte Carlo. Illustrationen: Marianne Weingärtner [320], Unser Mann in Havanna [442], Ein ausgebrannter Fall [612], Die Stunde der Komödianten [1189/90], Leihen Sie uns Ihren Mann? [1278]

GRUHL, HANS Fünf tote alte Damen. Illustrationen: Dietrich Lange [1423]

GRUN, MAX VON DER Irrlicht und Feuer [916]

GUARESCHI, GIOVANNINO Don Camillo und Peppone / Mit Zeichnungen des Autors [215], Don Camillo und seine Herde / Mit Zeichnungen des Autors [231]

HANDKE, PETER Die Hornissen [1098]

HÄRTLING, PETER Das Familienfest oder Das Ende der Geschichte [1368/69]

HAŠEK, JAROSLAV Die Abenteuer des braven Soldaten Schwejk – Ungekürzte Ausgabe. Illustrationen: Josef Lada Band I [409/10], Band II [411/12], Schwejkiaden. Geschichten vom Autor des braven Soldaten Schwejk [1424]

HEMINGWAY, ERNEST [Nobelpreisträger] Fiesta [5], In einem andern Land [216], In unserer Zeit [278], Männer ohne Frauen [279], Der Sieger geht leer aus [280], Der alte Mann und das Meer [328] *, Schnee auf dem Kilimandscharo [413], Über den Fluß und in die Wälder [458], Haben und Nichthaben [605], Die grünen Hügel Afrikas [647], Tod am Nachmittag / Mit 81 Abb. [920–22], Paris – ein Fest fürs Leben [1438]

HESSE, HERMANN Klingsors letzter Sommer [1462 – Nov. 1971]

HEYER, GEORGETTE Die bezaubernde Arabella [357], Die Vernunftehe [477], Die drei Ehen der Grand Sophy [531/32], Geliebte Hasardeurin [569], Der Page und die Herzogin [643/44], Die spanische Braut [698/99], Venetia und der Wüstling [728/29], Penelope und der Dandy [736], Die widerspenstige Witwe [757], Frühlingsluft [790] **, April Lady [854], Falsches Spiel [881/82], Serena und das Ungeheuer [892/93], Lord «Sherry» [910/11], Ehevertrag [949/50], Liebe unverzollt [979/80], Barbara und die Schlacht von Waterloo [1003/04], Der schweigsame Gentleman [1053/54], Heiratsmarkt [1104/05], Die galante Entführung [1170], Die Jungfernfalle [1289/90], Brautjagd [1370/71], Verlobung zu dritt [1416], Verführung zur Ehe [1212 – Nov. 1971]

HIGNETT, SEAN Liverpool 8 [1356–58]

HOCHHUTH, ROLF Krieg und Klassenkrieg / Studien [1455]

HOLT, VICTORIA Harriet – sanfte Siegerin [1246/47]

HOUGRON, JEAN Das Mädchen von Saigon [212/12a]

HUMOR SEIT HOMER [625]

IHR ABER TRAGT DAS RISIKO. Reportagen aus der Arbeitswelt. Hg. vom Werkkreis [1447]

JOHNSON, UWE Zwei Ansichten [1068]

JONES, MERVYN John und Mary. Jeder Tag beginnt bei Nacht [1320]

JUUL, OLE Das tosende Paradies [1062]

KAWABATA, YASUNARI [Nobelpreisträger] Kyoto oder Die jungen Liebenden in der alten Kaiserstadt [1225], Tausend Kraniche / Schneeland [1291], Tagebuch eines Sechzehnjährigen. Eine Auswahl. Hg. von Oscar Benl [1428]

KAZANTZAKIS, NIKOS Alexis Sorbas / Abenteuer auf Kreta [158]

KEROUAC, JACK Unterwegs / On the Road [1035/36], Engel, Kif und neue Länder [1391/92], Gammler, Zen und Hohe Berge [1417]

KISHON, EPHRAIM Arche Noah, Touristenklasse [756]

KNEBEL, FLETCHER Der Präsident [1435]

KRESSING, HARRY Der Koch [1446]

KRUGER, HORST Stadtpläne / Erkundungen eines Einzelgängers [1386]

KUSENBERG, KURT Mal was andres [113], Nicht zu glauben [363] **, Lob des Bettes. Illustrationen: Raymond Peynet [613], Der ehrbare Trinker / Eine bacchische Anthologie [1025]

LAWRENCE, D. H. Der Regenbogen [610/11], Liebende Frauen [929–31]

LEDERER, WILLIAM J. / BURDICK, EUGENE Der häßliche Amerikaner / Im Zwielicht der Diplomatie [845] **

LESLI, DORIS Die befohlene Heirat [1194/95], Eine echte Peverill [1353–55], Ich singe von Bett und Galgen [1397/98]

LEVENSON, SAM Kein Geld – aber glücklich. Chronik einer Familie [1322] **

LOFTS, NORAH Die Konkubine [1234/35]

LOWELL, JOAN Ich spucke gegen den Wind [23] **, Das Land der Verheißung [1047] **

MACDONALD, BETTY Das Ei und ich [25] **, Betty kann alles [621], Die Insel und ich [641]

MALAMUD, BERNARD Ein neues Leben [1126/27], Der Gehilfe [1162/63], Der Fixer [1150 – Dez. 1971]

MALAPARTE, CURZIO Verflixte Italiener [1240], Verdammte Toskaner [1279]

MALRAUX, ANDRÉ Die Eroberer [1333/34]

MANN, HEINRICH Professor Unrat [35], Die Jugend des Königs Henri Quatre [689–91a], Die Vollendung des Königs Henri Quatre [692–94], Novellen [1312]

MANN, KLAUS Kind dieser Zeit. Nachwort: William L. Shirer [946] **

MASON, RICHARD . . . denn der Wind kann nicht lesen [144/45], Suzie Wong [325/26], Zweimal blüht der Fieberbaum [715/16]

MATTHIAS, L. L. Die Kehrseite der USA [1494]

MAYER, HANS Deutsche Literatur seit Thomas Mann [1063]

METALIOUS, GRACE Die Leute von Peyton Place [406/07]

MILLER, ARTHUR Brennpunkt [147], Nicht gesellschaftsfähig / The Misfits [446]

MILLER, HENRY Lachen, Liebe, Nächte [227], Der Koloß von Maroussi [758], Big Sur und die Orangen des Hieronymus Bosch [849/50], Land der Erinnerung [934], Nexus [1242/43], Plexus [1285–88]

Henry Miller Lesebuch. Hg.: Lawrence Durrell [1461 – Nov. 1971]

MISSERLY, HÉLÈNE Zimmer zu vermieten [1131]

MITCHELL, MARGARET Vom Winde verweht [1027–32]

MNAČKO, LADISLAV Wie die Macht schmeckt [1118], Die siebente Nacht. Erkenntnis und Anklage eines Kommunisten [1344/45]

MONNIER, THYDE Die kurze Straße [30–32], Liebe – Brot der Armen [95–97], Die Familie Revest [1055/56], Madame Roman [1255], Wein und Blut [1321]

MOORE, BRIAN Ein Optimist auf Seitenwegen [1295/96], Die Wölfe von Belfast [1431]

MOORE, JOHN Septembermond [1372-74]

MORAVIA, ALBERTO Gefährliches Spiel [331–32a], Die Römerin [513/14], Die Gleichgültigen [570/71], Agostino [595], Cesira [637/38], Römische Erzählungen [705/06], Der Konformist [766/67], La Noia [876/77], Inzest [1077/78], Die Verachtung [1111], Die Lichter von Rom [1142], Der Ungehorsam [1238], Die Kulturrevolution in China [1456]

MÖSSLANG, FRANZ HUGO Deutschland deine Bayern / Die weiß-blaue Extrawurscht [1352 – Nov. 1971]

MULIAR, FRITZ Streng indiskret! Aufgezeichnet von Eva Bakos. Illustrationen: Rudolf Angerer [1429]

MÜLLER-MAREIN, JOSEF Der Entenprozeß: Illustrationen: Paul Flora [1160] **, Wer zweimal in die Tüte bläst . . . Ballade vom Einsitzen. Illustrationen: Paul Flora [1231] **

MUSIL, ROBERT Drei Frauen [64], Die Verwirrungen des Zöglings Törleß [300], Nachlaß zu Lebzeiten [500] **

NABOKOV, VLADIMIR Gelächter im Dunkel [460], Lolita [635/36], Pnin [765]

NEALE, TOM Meine Trauminsel. Hg.: Neal Barber. Mit 9 Fotos [1272/73] **

NEUSS, WOLFGANG Neuss Testament / Eine satirische Zeitbombe von Wolfgang Neuss nach Texten von François Villon [891]

NEVEN-DU MONT, JÜRGEN Liebe Deinen Deutschen wie Dich selbst. Bericht aus einer deutschen Stadt [1297/98]

NOSSACK, HANS ERICH Spätestens im November [1082], Der Fall d'Arthez [1393/94]

O'BRIEN, CONOR CRUISE Die UNO. Ritual der brennenden Welt [1434]

O'BRIEN, EDNA Der lasterhafte Monat [1261]

O'DONNELL, PETER Modesty Blaise – Die tödliche Lady [1115/16], Modesty Blaise – Die Lady bittet ins Jenseits [1184/85], Modesty Blaise, die Lady reitet der Teufel [1304/05]

PERGAUD, LOUIS Der Krieg der Knöpfe [662] **

PHILIPE, ANNE Nur einen Seufzer lang [1121], Morgenstunden des Lebens [1468 – Dez. 1971]

PIAF, EDITH Mein Leben [859]

PIEYRE DE MANDIARGUES, ANDRÉ Lilie des Meeres [1337]

POLLINI, FRANCIS Glover [1143/44]

PORTER, KATHERINE ANNE Das Narrenschiff [785–87]

POULSEN, KNUD Wenn die Tugend Amok läuft [977], Unser berühmter Landsmann [1263]

PRÉVERT, JACQUES Gedichte und Chansons. Französisch und Deutsch. Nachdichtung von Kurt Kusenberg [1421]

PRISCO, MICHELE Eine Dame der Gesellschaft [1258/59]

PUZO, MARIO Der Pate [1442]

QUALTINGER, HELMUT / MERZ, CARL Der Herr Karl und weiteres Heiteres [607]

RAABE, WILHELM Stopfkuchen [100] **

RADECKI, SIGISMUND VON Das ABC des Lachens [84/85] **

RANDALL, FLORENCE ENGEL Denn die Nacht ist verschwiegen [1307/08]

RAWLINGS, MARJORIE K. Frühling des Lebens [153–55] *

REICH-RANICKI, MARCEL Deutsche Literatur in West und Ost. Prosa seit 1945 [1313–15]

GRÄFIN ZU REVENTLOW, FRANZISKA Der Geldkomplex oder Von der Kunst, Schulden mit Charme zu ertragen [1262]

REXHAUSEN, FELIX Die Sache. Einundzwanzig Variationen [1418]

REZZORI, GREGOR VON Maghrebinische Geschichten [259], Ein Hermelin in Tschernopol [759/60]

RINGELNATZ, JOACHIM Als Mariner im Krieg [799/800], Mein Leben bis zum Kriege [855/56]

ROBBE-GRILLET, ALAIN Die Niederlage von Reichenfels [926]

ROBBINS, HAROLD Einen Stein für Danny Fisher [991/92]

RODA RODA's Geschichten [205]

ROOKE, DAPHNE Sie war keine Lady [1193]

ROTH, JOSEPH Radetzkymarsch [222/23], Der stumme Prophet [1033]

ROTHBERG, A. Der Tod hat tausend Türen [1262/63]

RUBIN, JERRY Do it! Scenarios für die Revolution. Vorwort: Eldridge Cleaver [1411–13]

RUHM, GERHARD Die Frösche und andere Texte [1460 – Nov. 1971]

RUHMKORF, PETER Über das Volksvermögen. Exkurse in den literarischen Untergrund [1180]

SAINT-EXUPÉRY, ANTOINE DE Flug nach Arras [206] **, Carnets [598]

SAINT PHALLE, THÉRÈSE DE Quadratur der Liebe [1299], Ein Mann in den besten Jahren [1382]

SALINGER, JEROME D. Der Fänger im Roggen [851], Franny und Zooey [906], Hebt den Dachbalken hoch, Zimmerleute & Seymour wird vorgestellt [1015], Neun Erzählungen [1069]

SALOMON, ERNST VON Die Kadetten [214], Der Fragebogen [419–22]

SAND, FROMA Das Apartmenthaus [1440]

SARTRE, JEAN-PAUL Das Spiel ist aus / Les Jeux sont faits [59], Zeit der Reife [454/55], Der Aufschub [503/04], Der Pfahl im Fleische [526/27], Der Ekel [581], Die Wörter [1000], Porträts und Perspektiven [1443]

SCHMIDT, MANFRED Mit Frau Meier in die Wüste / Eine Auswahl verschmidtster Reportagen [907], Frau Meier reist weiter / Eine neue Auswahl verschmidtster Reportagen [1081] **

SCHNECK, STEPHEN Der Nachtportier oder dessen völlig wahre Beichte [1432]

SCHÖNTHAN, GABY VON Die Rosen von Malmaison. Das bewegte Leben der schönen Josephine [1122/23]

SCHOONOVER, SHIRLEY Ava [1439]

SEGHERS, ANNA Das siebte Kreuz [751/52], Transit [867], Ausgewählte Erzählungen [1119]

SERVADIO, GAIA Melinda [1420]

SHAW, IRWIN Stimmen eines Sommertages [1348/49]

SHULMAN, IRVING West Side Story [553]

SIMMEL, JOHANNES MARIO Affäre Nina B. [359/60], Mich wundert, daß ich so fröhlich bin [472/73], Das geheime Brot [852], Begegnung im Nebel [1248]

SLEZAK, LEO Meine sämtlichen Werke [329] **, Der Wortbruch. Zeichnungen: Walter Trier [330] **, Rückfall. Zeichnungen: Hans Kossatz [501] **

SMITH, BETTY Morgen der Liebe [956/57]

SOEBORD, FINN Und sowas lebt [78]

SOLSCHENIZYN, ALEXANDER Krebsstation. Buch 1 und 2. Vorwort: Heinrich Böll [1395 u. 1437]

SPARK, MURIEL Die Lehrerin [1171], Mädchen mit begrenzten Möglichkeiten [1266]

SPEYER, WILHELM Der Kampf der Tertia. Zeichnungen: Wilhelm M. Busch [17] **

SPOERL, HEINRICH Man kann ruhig darüber sprechen [401] **

STANDER, SIEGFRIED Ein Fremdling in der Herde / Das Pferd [1441]

STONE, IRVING Vincent van Gogh / Ein Leben in Leidenschaft [1099/1100]

TAGEBUCH EINES BÖSEN BUBEN Neu bearbeitet und mit einem Nachwort von Kurt Kusenberg [695]

TANIZAKI, JUNICHIRO Naomi oder Eine unersättliche Liebe [1335], Der Schlüssel [1463 – Nov. 1971]

THAYER, CHARLES W. Zwei Wodka zuviel [1264]

TORRES, TERESKA Frauenkaserne [1007]